どこに行っても治らなかった

ひざ痛を10日で治す私の方法

高田祐希
きこうカイロ施術院 院長
カイロプラクター・医学気功師

ワニ・プラス

はじめに

はじめまして。私は東京の二子玉川で「きこうカイロ施術院」を開いているカイロプラクターであり医学気功師の高田祐希と申します。

私が本書の執筆を思いたったのは、私自身がひどいひざ痛に悩み、サプリを飲んだり整形外科を転々としたりしても全然治らなかったのですが、**「自分で試して、劇的に改善したある方法を、ひざ痛に悩む方々にぜひお伝えしたい！」**と考えたからです。

私がひざ痛を発症したのは、つい数年前のことです。

あまりのひざの痛さに、

「立ち上がるってどうやってやるんだっけ……」

「体を動かすにはどうすればいいんだっけ……」

そんな単純な動作さえ、普段の生活で悩んでしまう時期がありました。

ではこれから、私がなるべくしてなったひざ痛への道のりを記してみます。

きっと、今現在ひざ痛に悩む方には「自分のことのようだ」と思っていただけるのではないでしょうか。


本文中の表記についてご説明しておきます。

本書では、**足首から下を「足」、太ももの付け根から足首までを「脚」と表記します。**ただし、「脚」という表記で太ももの付け根から足先までをあらわす場合もあります。また、「身体」という表記は、心の状態も含めた「体」を意識していただきたいときに使用しています。

そしてもうひとつ。本文中の解説写真のモデルは、実際にひざの痛みを持つ一般の方にお願いしました。より身近に感じていただけるのではないかと思います。

半月板損傷からのロッキング

はじまりは6年ほど前でした。何気なくしゃがんだ姿勢から立ち上がろうとして、ふと両ひざをねじった瞬間に、左ひざが伸びなくなったのです。何をどうやっても伸びない。ひざの関節がはずれてしまったような、どこかに引っかかったような鈍く重い痛みです。いったい何が起きたのかわからない恐怖感に襲われて、冷や汗が全身を流れたのを覚えています。

これは「**ロッキング**」という症状です。ひざの関節の中に、衝撃を吸収するクッションのような役割をしている「半月板《はんげつばん》」というC型をした板状の組織があります。この半月板に体重がかかった状態で、ひざを不自然にねじったりすると、この部分を損傷（断裂）することがあるのです。多くの場合はスポーツをしているときなどに起こるのですが、日常生活の何気ない動作でも損傷することがあります。

損傷がどのような状態なのかは、一般的なレントゲン検査やCTではなく、MRI検査をしないとわかりません。私の場合は、自分でも知らない間にこの半月板が壊れていたのでしょう。安静にしていれば痛みはあまりないので、気がつかなかったのだと思います。ところが、月日が経つとともに損傷が進み、ひざを捻った瞬間に壊れた半月板の一部が関節のすき間にはさまって、突然ひざが伸ばせなくなったというわけです。

カイロプラクターという仕事柄、この症状の知識を持っていたことと、自分の脚の形と動かし方のクセを知っていたことは幸いでした。とはいえ、知識があっても、実際に自分の身に症状が起こるとやはりあせるものです。

いったん深い呼吸をし、リラックスしながらお尻を床につけたまま、まずはしっかりひざを曲げ切り、そして正しい方向を意識して伸ばすことを試してみると、ひざは伸びてくれました。痛みもなくなりました。

しかし、ロッキングはその1回で終わったわけではありませんでした。それから何度となく襲ってきたのです。日常的にそれほど痛くなることはありませんでしたが、その頃から、「このままでは、いつか動けなくなるほど痛くなる……」ということに、うすうす気づき始めていました。

それからは、意識して筋肉に負荷をかけるトレーニングをするように心がけました。軽い運動を続けるうちに、ロッキングはしなくなりました。

でも、ロッキングを起こすきっかけとなった、ひざをねじる、方向転換するといった動きをするのが怖くて、どうしても運動を控えめにしていたことに気づいたのは、あとになってからのことでした。

ひざ痛がやってくる！

そして、とうとう3年ほど前にひざ痛がやってきました。原因はわかりません。何の前触れもなく、突然ひざ痛が始まったのです。はじめは、

- 常に、少しうずうずする痛みがある。
- 階段の上り下りをすると痛い。
- いすや床から立ち上がると痛い。

といった症状でした。

いすから立ち上がる、床から立ち上がるなどの動作がすべて痛くなりました。段差のある場所を下りるのが困難になってきました。なんだか、ひざがカクンカクンするのです。そうなると電車やバスのステップや、3段ぐらいしかない階段でも緊張して下りる前から冷や汗が出ます。朝起きたときから「ひざが重だるい」と感じるようになりました。

「サプリメントはひざ痛に効くのだろうか?」と思って、あらゆるものをひと通り飲んでみましたが、結果的にいえば、たいして変わりはありませんでした。

サプリメントはプラシーボ効果も含め、約4割の人に効くというデータもありますが、大事な栄養素はやはり食品で摂るほうが効果が高いことを身をもって経験しました。

とはいえ(言い訳でしかありませんが)、忙しい毎日の中で、献立を考えて、買い物をして、料理をして……ということを続けるのはなかなか難しいものです。ただ、改めて自分の食生活を考える良い機会にはなりました。

毎日の食生活において、どの栄養素が自分に足りないのかを知ることはとても大切です。意識して不足している栄養素を摂取するようにしましたが、それだけでは痛みはとれません。

とうとうひざが腫れだす

私は週1回テニスをしています。雨が降ったり、用事が入ったりすると月1回になることもしばしばです。もういい年齢なのに、たいして普段からトレーニングすることもせず、男性に交じっていきなりパワープレーに興じたり、ボールを追いかけてストップ&ダッシュを繰り返していると、ひざに衝撃がかかります。

プレーしている最中は、アドレナリンも分泌し、テストステロン（男性ホルモンといわれていますが女性にもあります。212ページ参照）も全開になっています。だから「痛い」ということすら忘れてしまえるのですが、運動前後の栄養補給もいい加減にしていた私のひざは見事に悪化していきました。加齢も進んでいるのに、それを甘く見ていたツケが回ってきたわけです。痛みだけだったひざがとうとう腫れだしてしまいました。

整形外科に行く

そして「この機会に病院（整形外科）に行ってみよう！」と思い立ちました

どうやって治してくれるのだろうとワクワクしながら待合室で長時間待ちました。レントゲンを撮って先生と話します。

先生「変形性ひざ関節症ですね」（年齢を見るとそうなるか）

先生「体重を落としてくださいね」（太ってはいないのだけど）

先生「貼り薬と飲み薬で様子を見ましょう」（やっぱりね）

先生「こんな運動もしてみてください」（パンフレットを渡される）

私「以前ロッキングとかいう、ひざが伸ばせない症状になったことがあるのですが、今は治っています。どうしてですか？」

先生「わかりません。はさまっていた破片がどこかへ行ったのでしょうね」

診察はほんの数分で終わりました。なんとなく突き放されたような気分になりましたが、レントゲン写真をスマホで撮影させてもらえて、少し満足して帰りました。昨今処方される湿布薬は優秀です。飲み薬も飲んで、ちょうどその頃テニスもお休み続きだったので、おとなしくしていたら腫れは引きました。でも、「これでは根本的な解決にはならないのではないか」という思いが頭をよぎりました。

再度ひざが腫れて今度は水が溜まりだす

小さい頃から「やせたい」という思いに駆られていた私は、「運動する＝やせる」と単純に考えてしまうところがありました。テニスのときも、食べ物がお腹に入ったまま動くと気持ちが悪くなるという理由で、空腹状態で動きまわります。「あわよくばやせてやろう！」という気持ちから、運動後も栄養補給をしないままなので、疲れた筋肉に栄養が行かないのは当然です。ちなみにそんな無茶なことをしてもやせることはできません。それができるのは、よくて30代くらいまでです。

やはりまたひざが腫れてしまいました。当然だと思います。腫れているのに押すとブヨブヨ感があります。そしてとうとう次のような症状が出てきました。

- ひざが曲げられない
- 正座ができない
- 立っているときもひざがガクガクして力が入らない
- ひざに熱感がある
- 歩いているとひざが棒のように感じる
- ひざが重だるい
- 寝ているときも痛い
- 寝返りで目が覚めてしまう
- じっとしていてもうずく

別の整形外科に行ってみました。前回の病院で交わされた会話と同じです。水が溜まっていましたが、とりあえず貼り薬と飲み薬で様子を見ることになりました。それでも腫れが引かないようなら水を抜くなり、ヒアルロン酸を打つなりしてみましょうということでした。

仕事柄、痛いからといって、動かさなくなるほうが悪化することは知っています。ですから痛くても動かすように心がけました。すると、痛みは少し残っているけれど、腫れは引いていったのです。

・**パンパンに張って曲がらないひざもなるべく曲げるようにする。**

・**できない正座もできるまで繰り返す。**

これらは権威ある西洋医学の先生方も推奨していることです。動かさなくなると血行が悪くなるので治りが遅くなります。適度に動かすことによって、溜まっていた水もなくなっていきました。

再々度、ひざが腫れて水が溜まったので抜いてみる

ひざが痛くなっても、水が溜まっても、知らんぷりしてテニスには行ってしまうので、いくらひざをかばって運動をしていても、いつの間にか患部に負担をかけています（治療家は自分の体で実験したくなるのです）。運動前、運動後の栄養補給の必要性についても認識はしていたものの、この頃はまだ自分自身にこれほど大きく影響があるものとは思っていませんでした。すると案の定、また腫れて、水が溜まります。

「ひざの水を抜くってどんな感じなんだろう？」

それを経験してみたくて再び整形外科へ。腫れて水が溜まってパンパンに張っているけれど、押すとブヨブヨしているひざです。注射針で水を抜く瞬間、患部がギューッと絞られるような重だるい感じがするのですが、水を抜き取った途端にひざが軽くなりました。なんて楽になるのでしょう。でもこれでは根本的な解決にはならないのです。

ひざの痛みがなくなったわけではありません。

痛くなる場所もひざのお皿（膝蓋骨《しつがいこつ》）の上だったり、下だったり、内側だったり外側だったり、ひざ裏だったりとあらゆるパターンを経験しました。

動かしているときだけ痛い場合もありました。常時痛いというときもありました。炎のようなチクチク感もありました。うずうずする痛さもありました。ズッシーンと重だるい痛みもありました。

そして、どうして私のひざが痛くなったのかを考えていくうちに、単に加齢だけの問題ではないことに気づいたのです。

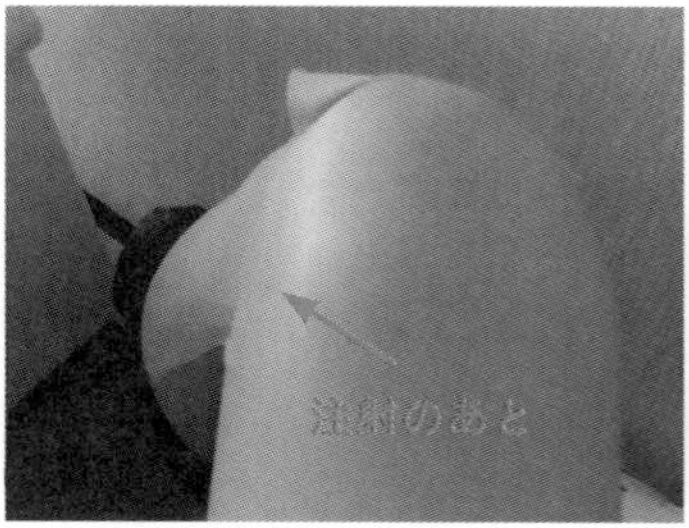

9日後。腫れは少し引いている。

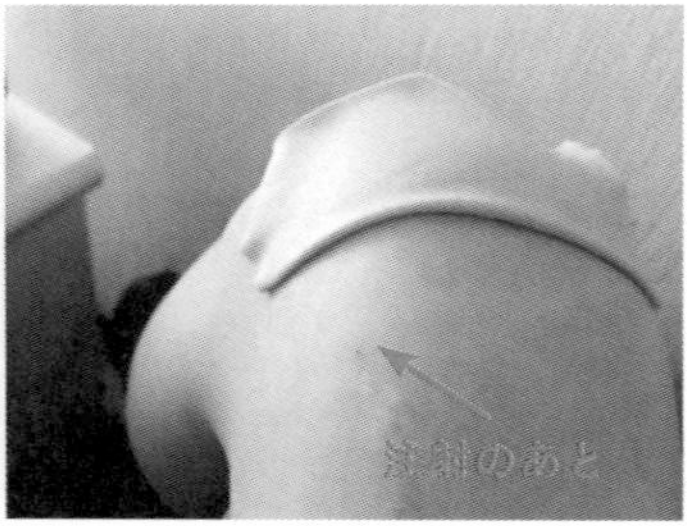

水を抜いて2日後。腫れている。

再々再度、ひざが腫れて水も溜まったけれど自分で治す

チャンスがやってきました。自身の力で治すチャンスです。

もともと私の脚の形はまっすぐではありません。昔よりは改善したのですがO脚です。気をつけていないとすぐにひざが開いてきます。骨盤の向きは後傾です。背骨の彎曲《わんきょく》はほとんどありません。外反母趾《ぼし》にも、開帳足《かいちょうそく》（前足部の指の付け根あたりにある横アーチが崩れ、足の幅が広くなってしまっている状態。110ページ参照）にも、モートン病（足の中指、薬指の付け根が痛む病気）にもなっています。

体の形状には、重心のかけ方や動き方の特徴があらわれるので、どこの筋肉をよく使い、どこの筋肉を使ってないかがわかります。私の弱い筋肉を鍛えれば、痛みや腫れを取ることができるのではないかと考えました。

そしてちゃんとやってみたら……治せたのです！　ひざの水もなくなりました。長い間悩み続けた痛みや腫れがなくなったのです。

テニスでガンガン走り回っても、翌朝もそのあともずっと大丈夫です。ヒールの高い靴

をちょっと無理して履き続けたりして、「少し痛むかな〜」と感じても、適切な運動をすることによってすぐに回復するようになりました。

そして何よりも**「ひざが痛くならない体の動かし方の基本」**に気がついたのです。

そのことがわかってから、どんな状況でも対処できるようになり、安心して動けるようになりました。電車やバス、外出での動作が苦ではなくなったのです。座ったり立ったりする動作が多い家事にも少しやる気が出ました。実は大好きなガーデニングがひざに一番負担がかかり（しゃがんでひざをねじる動きが多い）、きつかったのですが気軽にできるようになりました。

そしてひざが悪くなった経験から、なぜ年配の方々が電車やバスなど込み合ったところで、よくぶつかってくるのかもわかりました（これについては83ページのコラム③「お年寄りは揺れに弱い」で解説します）。

二足歩行を続けるために必要な筋肉がどの部分なのか、それらを知るためにはまず、「ひざが痛くならない体の動かし方の基本」を知ることが必要です。

整形外科の治療は症状の重い患者さんたちにとっては、素晴らしい効果があります。しかし、手術するほどでもなく、そこまで悪くならないうちになんとか改善したいと思っている人に対して、さほど手厚い治療は行われません。

先生A「こうやってね、年齢とともに悪くなっていくんですよ」
先生B「まあ、しばらく様子を見ましょう。悪くなったらまた来てください」

悪くなるのを待つというわけではないでしょうが、病院のビジネスとしては当然です。西洋医も東洋医も口を揃えて言うのは、私たち患者側の努力が必要だということなのです。悪くなる前に治したい我々は、体を鍛えるしかないのです。

それならば、的を射たことをやりましょう。病院でもらうパンフレットには載っていないけれど、とても大切な筋肉の動きについて、本書でご説明したいと思っています。

「整形外科は治すところではありません。レントゲンを撮るところです」

これは、ある薬剤師さんのウィットに富んだ言葉です。

ひざに痛みがあらわれる病気はたくさんあります。変形性ひざ関節症と間違われやすい病気も多数あるので、安心、安全のために自己判断はせず、まずは整形外科でレントゲンやＭＲＩ検査をしてもらい、現在のひざの状態を確認しましょう。そして確認したら、「これ以上ひざの関節のすき間のバランスが崩れないようにしよう」と誓うのです。

「ひざ痛を治す」ことは、「まっすぐできれいな脚にする」ことと同じ意味だということを忘れないでください。

「一病息災」です。何かひとつくらい体に問題を抱えている人のほうが健康に気を使うので、かえって長生きするものだということわざです。

ひざが痛くなったことで、脚が美しくなれるのなら、長い人生、それもアリなんじゃないかと私は思います。

なお、私は治療家で医師ではないので、本書でご紹介する内容は医療行為ではありません。決して無理をしないように、ご自身に合った強度やペースで試してみてください。

もくじ

はじめに……2
半月板損傷からのロッキング
ひざ痛がやってくる！
とうとうひざが腫れだす
整形外科に行く
再度ひざが腫れて今度は水が溜まりだす
再々度、ひざが腫れて水が溜まったので抜いてみる
再々再度、ひざが腫れて水も溜まったけれど自分で治す

第1章　現在のあなたのひざ痛の状態は？……27
最初にあなたのひざ痛レベルを診断します……28
ひざ痛のレベルチェック
筋肉は変化していく
変形性ひざ関節症になりやすい人かどうかのチェック
XO脚とは？
コラム①　加齢と歩幅の関係……52
第2章　ひざ痛を治すために知っておきたいこと……55
ひざ痛はひざだけの問題ではなくなります……56
まっすぐできれいな脚を作ることが、ひざ痛改善への道

病院では教えてくれない応急処置……60
「炎症の5徴」を確認しよう
西洋医学と中医学（東洋医学）の考え方の違い
腫れたり水が溜まっていたらアイシングをする……65
痛み、腫れがひどいときは過激な運動はストップ
コラム② ひざ痛に関連する病気について……71

第3章 ひざ痛を治す鉄則と3つの基本

……75
ひざの痛みが消える体の使い方……76

ひざ痛を防ぐには使っていない筋肉を目覚めさせる
筋肉を強くする「縮め伸ばし」
コラム③　お年寄りは揺れに弱い……83
【鉄則】自分の骨盤が前傾タイプか後傾タイプかを知る！……86
かかとを床につけてしゃがみ込むテスト
しゃがみ込むとはどういうことか
お腹ぽっこりはお尻を下げるのが苦手
【基本Ⅰ】土踏まずを上げる力を作る！……96
体の後ろ側に力が入ればひざの負担は減る
足の5本指を上げたまま立ったり座ったりする練習
ひざが変形してしまわないうちに体の後ろ側の筋肉を作る

「足のバンダ」とは
足裏のアーチが大切です
足のバンダで足首を安定させる
コラム④　ひざ痛に効く食事……117
【基本2】太ももを外に回す力を作る！……122
膝窩筋《しっかきん》を鍛える4つの方法
コラム⑤　膝窩筋についてさらに詳しく……133
【基本3】かかとを立たせる力を作る！……136
かかとの骨を正しい位置にする
なぜ私はひざ痛を10日で治せるのか

第4章　ひざが痛くなくなる5つの動き方……141
【動き方1】絶対に足の指は曲げない！……142
「つかむように歩きましょう」の間違い
なぜ足の指を曲げると土踏まずが上がらないのか
【動き方2】はさむ力をつける！……149
それ、「骨盤のずれ」のせいじゃありません！
内転筋を鍛える4つの運動
【動き方3】股関節を伸ばす！……156
腰を反らせているだけの股関節伸ばしはNG！
正しい股関節伸ばしができる4つの動き
太ももの前とふくらはぎが太くなる理由とは？

股関節を伸ばし、ひざを曲げるストレッチを！
コラム⑥　高齢者の運転事故の原因……169
【動き方4】蹴る力をつける！……171
下半身を起こせる力は「蹴る力」
「蹴る力」を強くする5つの動き
ひざ痛改善に「蹴る力」が必要な理由
コラム⑦　アヒル座りができる人はご用心！……186
【動き方5】ひざをふらふらさせない！……188
脚がまっすぐな人のひざは揺れない
脚を横に上げる5つの運動

第5章　ひざ痛を治すための考え方……195
今からどんどん考え方を変えていけばいいのです……196
ひざ痛に悩む方へ、私からのアドバイス
どうしてこんなに痛みが続くのでしょう？……203
痛みが長引くと「生活の質」が下がる
痛みの正体とは？
意識を変えるだけで痛みが消える不思議
痛みを忘れさせてくれるホルモン
コラム⑧　痛みを中医学で考える……214
あとがき……218

第1章
現在のあなたのひざ痛の状態は？

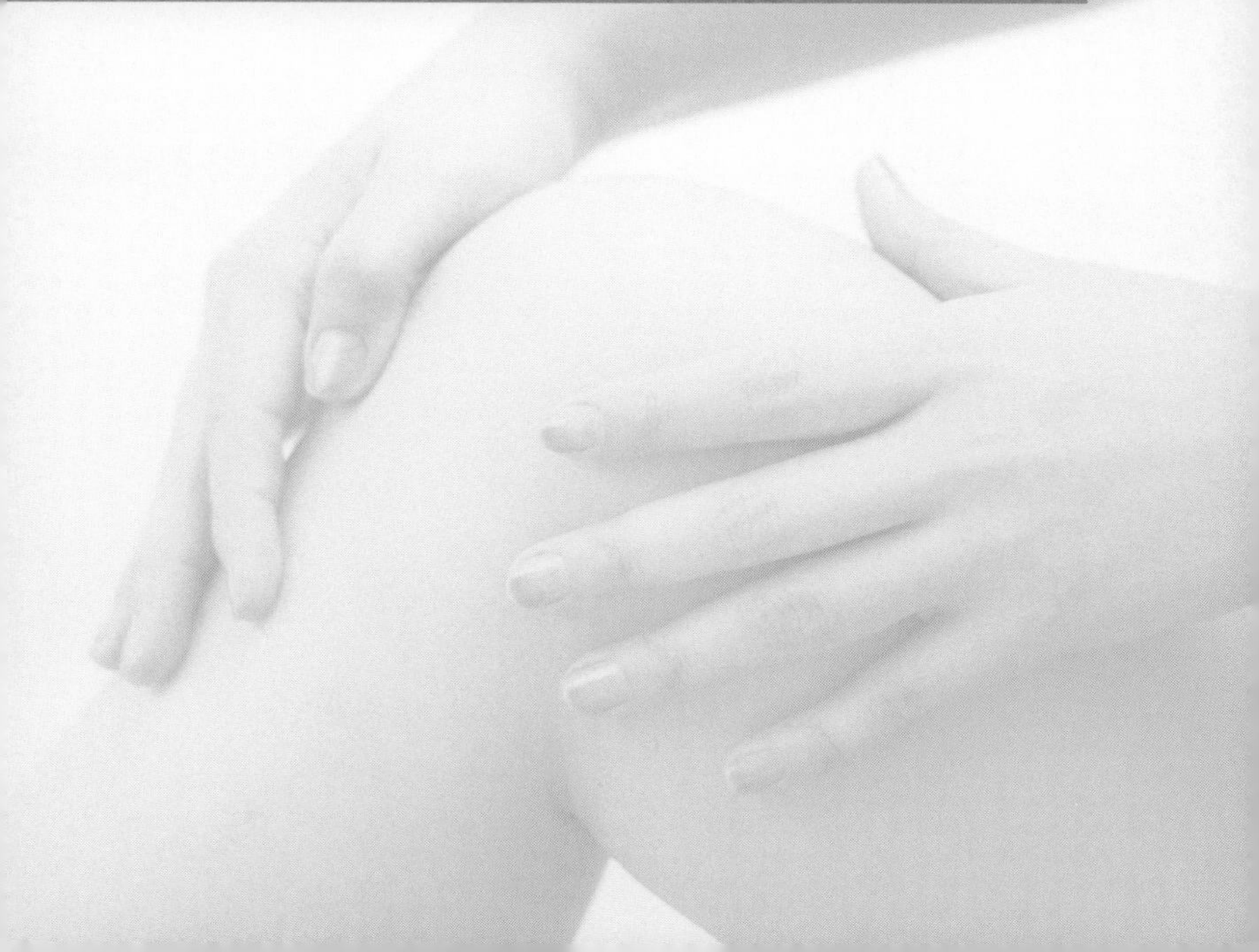

最初にあなたのひざ痛レベルを診断します

まず、ひざ痛のレベルチェックをしましょう。左に行くほど重い症状です。

ひざ痛のレベルチェック

□少しうずうずする痛みがある
□動きはじめに痛みがある
□こわばりやひっかかったような感覚がある
□いすや床から立ち上がる際に痛みがある
□階段の上り下りの際に痛みがある
□ひざに熱感がある
□ひざの周辺にチリチリ、ズキッ、ピリピリとした痛みがある

□ひざが腫れる
□ひざが曲げにくい
□正座ができない
□階段などでひざがガクガクするときがある
□歩いていると脚が棒のように感じる
□ひざが重だるい
□ひざの曲げ伸ばしで変な音がする
□ひざに水が溜まる
□安静にしているときも痛い、うずく
□寝返りで目が覚める
□O脚やX脚がひどくなった

あなたのひざは今どのような状態でしょうか。チェックがリストの右のほうだけに入っていたとしても、放っておくとどんどん悪化して、左のほうにまでチェックが入るようになるのは間違いありません。なぜなら筋肉が変化していくからです。リストの右のほうが比較的軽い症状といっても感じ方は人によって異なります。急に真ん中あたりの症状から始まるケースもあります。ひとつでも気がついたら、ひざ痛対策を始めるチャンスです。

筋肉は変化していく

筋肉は使用されたときにのみ発達し、その筋力を維持できます。だから使っていないと、当然ながら筋肉は弱っていきます。筋肉に張り巡らされている神経回路も減っていき、命令が伝わらなくなっていくのです。

実際にやってみましょう。足の指を広げてみてください。

足の小指を意識して広げられますか？　これができない人が結構多いのです。また、足の親指を広げるというのは外反母趾の人には難しいことです。右足はできるのに左足ができないなど、明らかに右と左で差がある場合もあります。これらは神経回路がつながっていない証明なのです。そのまま放置しておくと、その指を動かす筋肉が弱っていくことになるのは、容易にわかりますよね。

しかし、何も悲観する必要はありません。動かそうと何度も何度もトライすることで神経回路が復活して、だいたい数日で動かせるようになります。動かせない筋肉に気づかないことが問題なのです。

そもそも筋肉は伸びたり縮んだりするものです。力こぶができている右下の絵では、腕の上側の盛り上がっている筋肉（上腕二頭筋）が縮んでいます。そして下側の筋肉（上腕三頭筋）は伸びています。

腹筋運動をすると、お腹側の筋肉（腹筋）が縮んでいて、背中側の筋肉（背筋）が伸びているということになります。

腹筋運動では腹筋は縮み、背筋が伸びる。上のいわゆる腹筋運動は腰・首を痛める危険性があるので、下のような姿勢を推奨。

力こぶを作ると腕の上側の筋肉（上腕二頭筋）が縮み、下側の筋肉（上腕三頭筋）は伸びる。

このように筋肉の伸び縮みという拮抗《きっこう》する相互作用で「動き」が生まれます。ちょうど良いバランスでそれぞれの筋肉が働いてくれればいいのです。ところが体型の遺伝や姿勢のクセ、動きのクセが続いて使われない筋肉が弱化してしまうと、反対側の筋肉もパワーを出し切れなくなってしまうのです。

筋肉の変化はまだあります。筋肉が拘縮《こうしゅく》する状態になれば、縮みもしないし伸びもしない。すると反対側の筋肉はどうすることもできないので弱化していきます。それが体のゆがみにつながることはもちろんのこと、ケガや痛みの原因となっていくのです。

ひざ過伸展（反張膝《はんちょうしつ》）という言葉を聞いた

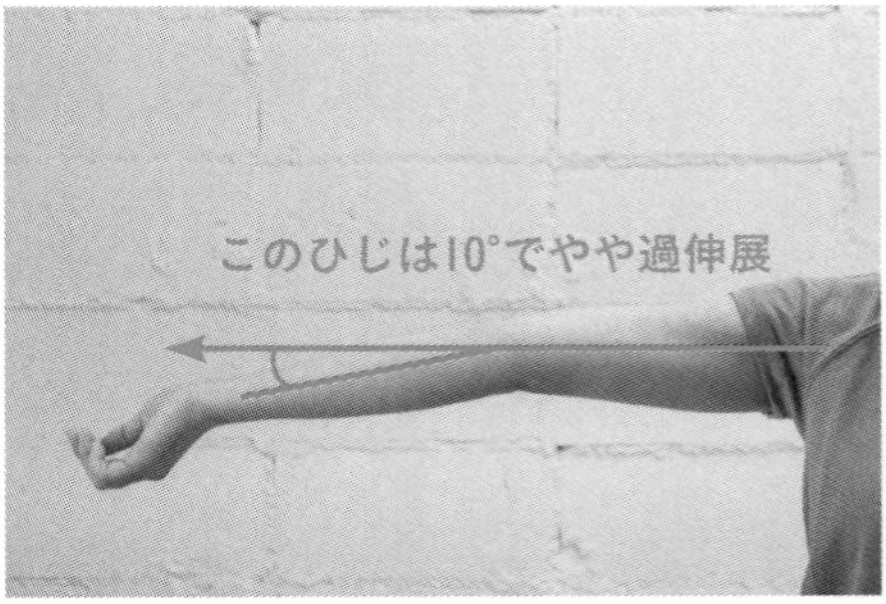

ひじの過伸展。二の腕からひじの先の角度が0°から5°までが正常とされている。

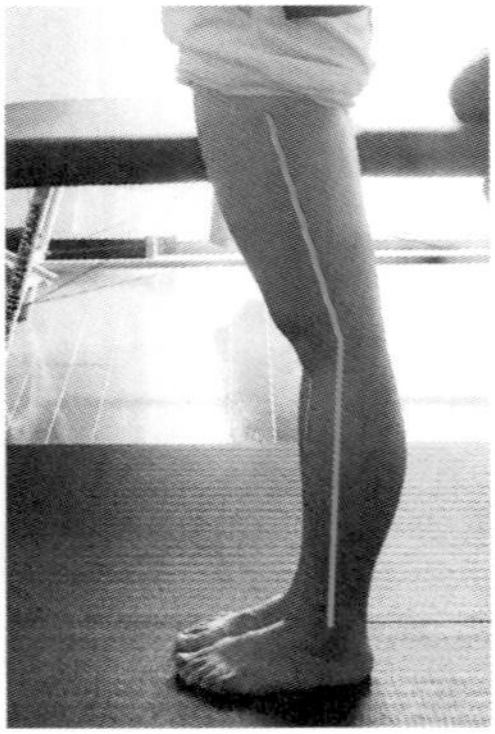
ひざ過伸展（反張膝）になっている脚。ひざが反りすぎている。

ことがあるでしょうか。ひざの関節の形状が普通ではなく、反りすぎてしまっている状態です。これはひじでも起きます。

どちらも、この状態特有の体の動かし方になってしまうため、筋肉の使われ方がアンバランスになります。長年こうした動きをしていると、使われないため弱化した筋肉や拘縮した筋肉ができてしまうのです。

筋肉の萎縮や短縮（筋線維が収縮したまま元に戻らなくなる）が起きると運動がスムーズに行えないどころか、骨の位置が変わってしまい、神経にも障害が出てきます。姿勢にも血行にも神経にも影響が出てくるというわけです。

全国で推定８００万人の方が悩むといわれる「変形性ひざ関節症」という病気があります。これはひざの関節の軟骨の質が低下し、すり減って、歩行時に困難が生じる病気ですが、この病気を発症する以前に、ひざ過伸展などが起きているのではないでしょうか。

それでは次に、あなたが変形性ひざ関節症になりやすい人かどうかのチェックをしてみましょう。

変形性ひざ関節症になりやすい人かどうかのチェック

□家族に変形性ひざ関節症の人がいる
□肥満体型である
□スポーツでひざを損傷したことがある
□運動不足である
□女性である
□動きの中でひざが内側に入るクセがある
□O脚、X脚、XO脚のいずれかである
□扁平足である（足裏のアーチがなくなっている）
□お尻を左右に振って歩く
□ひざが過伸展している
□ガニ股である
□靴の底の外側がすり減っている

□40歳以降にひざの間にすき間ができてきた

いくつ当てはまったでしょうか？　体の形や動かし方にはその人の筋肉の使い方の特徴があらわれます。今現在ひざが痛くなくても、当てはまるものがひとつでもあれば、将来ひざ痛が起こる可能性はあるというわけです。

ではそれぞれの理由を考えてみましょう。

●家族に変形性ひざ関節症の人がいる

街を歩いているとき、すれ違った親子の歩き方や脚の形があまりにそっくりで驚くことがあります。体型・体形、体質は遺伝もありますが、一緒に暮らしていると生活習慣や動作が似てくるため、体にあらわれる症状も同じであることが多くなります。親族にひざ痛の方がいる場合は要注意です。

●肥満体型である

肥満気味の人は骨が強いといわれています。骨は負荷をかけると強くなるので、自分の体重が負荷となり骨が強くなるというわけです。しかし、ひざはあらゆる動作や姿勢を作るうえで要《かなめ》となる場所です。肥満気味の人はその重さのぶん、ひざにかかる圧力が強くなるので痛みが出やすくなります。体重を落とすだけでもひざへの負荷が減るので、病院では体重指導が行われるのです。

●スポーツでひざを損傷したことがある

「蹴る」「走る」「ジャンプ」などの動作でひざは酷使されます。そのためサッカー、バレーボール、バスケットボール、陸上競技などあらゆるスポーツ選手の多くがひざの損傷で悩んでいます。ひざには「ひねる」という動きもあり、その動きが必要なゴルフやテニス、バドミントンの選手もひざ痛で悩んでいます。また、ぶつかることによる損傷で柔道、レスリング、ラグビーの選手などにもひざ痛は起こり、無理なひざの使い方は選手生命を脅かします。

過去にスポーツで半月板や靭帯を損傷した人や、事故やケガでひざを痛めたことがあると、行動に制限がかかって筋肉が弱り、あとになって痛みが出てくる場合もあります。

半月板の損傷などは強い衝撃が加わらなくても、加齢によって自然に起こるものです。齢《とし》をとってからひざの痛みが出る人と出ない人に分かれるのは、脚の筋肉が衰えているか、衰えていないかの違いだけなのです。だから肥満気味であっても足や脚の筋肉が十分にあれば問題はありません。逆に、やせ気味でもひざに痛みが出てきた人は、動かし方に注意を向けて、それに加えて弱化した筋肉を鍛えていく必要があります。

●運動不足である

筋肉には糖を蓄える働きがあるので、「男女を問わず、やせた人は糖尿病の発症リスクが高くなる」という研究結果が近年出てきたことには納得です。年齢とともに糖を蓄えてくれる筋肉が減ったり、筋肉が糖を取り込みにくくなったりするためで、適度な運動やバランスの良い食事で筋肉の量と質を高める必要があるのです。

ミトコンドリアという言葉を聞いたことがあると思います。私たちの体を作っている細胞の中にある小器官のひとつです。人間の体の全細胞にとって重要なエネルギー源を作りだしているのがミトコンドリアです。エネルギーを生産する過程で作られる水分を代謝水といいますが、それを作りだす能力が「基礎代謝」なのです。この水がお肌も適度に潤してくれているのです。

ところがこのミトコンドリアは40代前半から減少し、機能も衰えていきます。「加齢により代謝が低下する」とよくいわれますが、「ミトコンドリアの減少が関係している」といったほうがよさそうです。

ミトコンドリアを増やすにはやはり運動、そして背筋を伸ばした姿勢、腹八分目の食事が大切です。ということは、美容にとっても運動不足は大敵なのです。

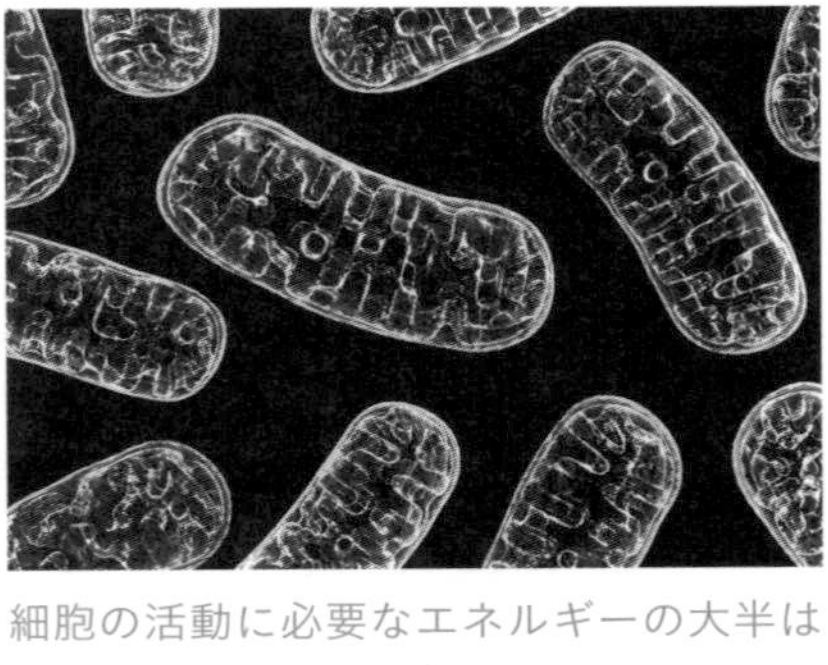

細胞の活動に必要なエネルギーの大半はミトコンドリアから供給される。

●女性である

女性は男性に比べ筋力も弱く、閉経前後の更年期には、女性ホルモン（エストロゲン）の分泌が急激に減少します。加齢やエストロゲンの減少に伴って、関節を支えている軟骨や筋肉が衰え、関節内の水分も減少します。さらに血液の循環も悪くなり、関節痛が起きます。最初は関節が鳴るというところから始まり、肩、手指、ひざなどが痛みだし、こわばり、腫れ、不快な感覚に襲われたりします。適度な運動を心がけて血行を促進していくことが重要です。

女性は男性の2～3倍、ひざ痛を発症しているという結果が出ていることにも注目して、運動を取り入れていきたいものです。

●動きの中でひざが内側に入るクセがある

自然な立位ではひざの位置が正常（正面を向いている）であっても、歩行時、走行時、ジャンプの着地時などの動作のときにひざが内側に入る人がいます。写真を撮られるときに内股になる人も多いようです。これらの動作はひざ関節への負担が大きくなり、スポーツ障害に結びつく場合もあります。

動いているときの自分のひざの様子は、なかなかわからないものですが、非常に大事なことで、これはO脚、X脚、XO脚の人たちの脚の動かし方にも密接な関わりがあります。

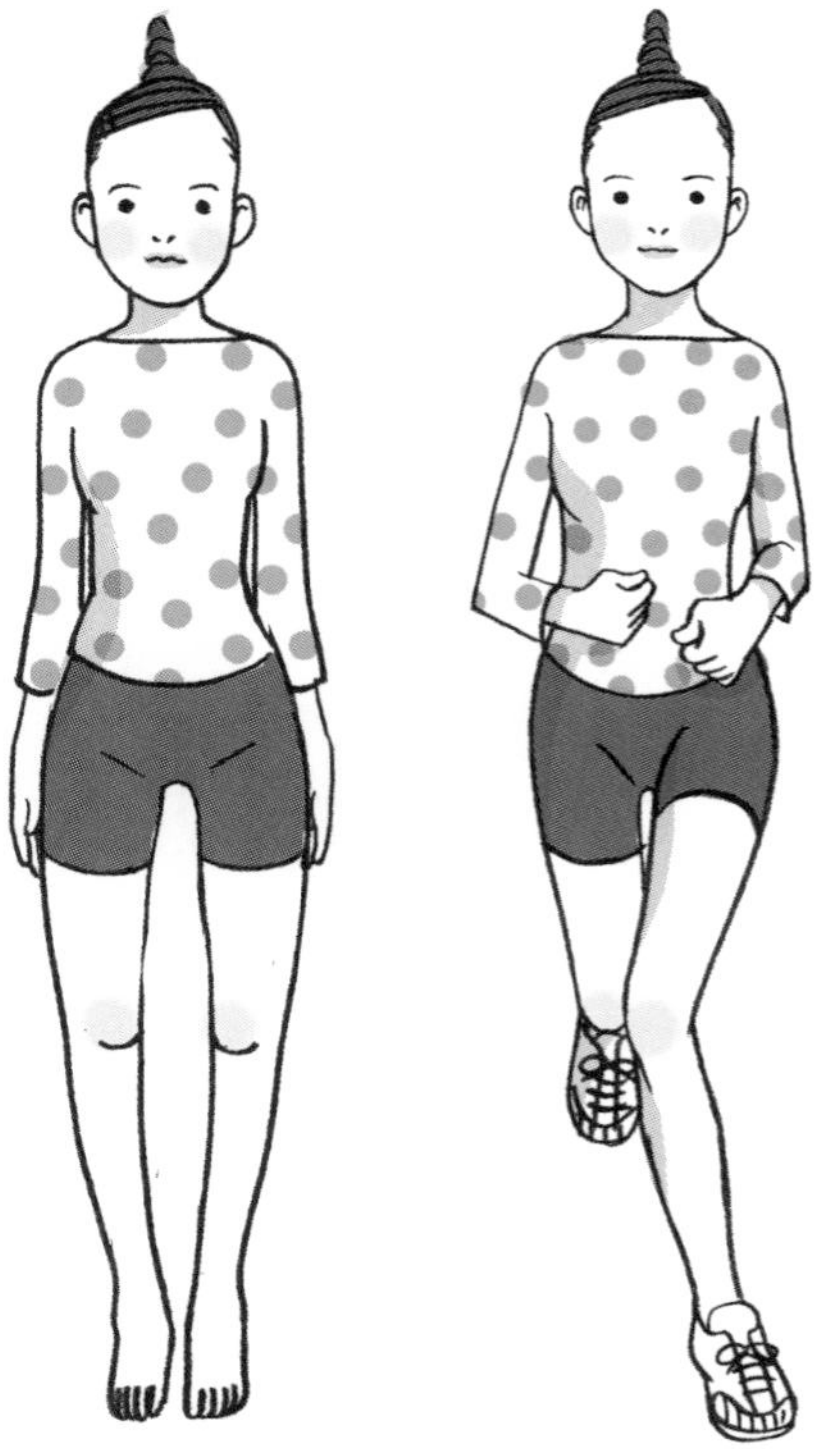

動きの中でひざが内側に入るクセがあると、ひざに負担がかかりやすくなる。

●O脚、X脚、XO脚のいずれかである

O脚、X脚の矯正のご相談をよく受けますが、私の一番の着眼点は大腿骨です。大腿骨という太ももの骨がどういう向きで股関節に入っているかということに注目しています。大腿骨が内側に向いているのか（内旋）、外側に向いているのか（外旋）、この違いによって、脚の形は異なってきます。

● O脚は大腿骨が内側を向き、ひざが内側を向き、両ひざの間にすき間ができる。
● X脚は大腿骨が外側を向き、ひざが外側を向き、両ひざはくっつくけれど、両足の内くるぶしの間にすき間ができる（リラックスしていると、両かかとが離れている）。

というのが一般的な定義となります。

そしてO脚の足は扁平足に、X脚の足はハイアーチ（足の甲が高く、足裏の土踏まずが高い状態）になる傾向にあるのですが、この両方にある共通の特徴は**ひざが過伸展している**ということです。

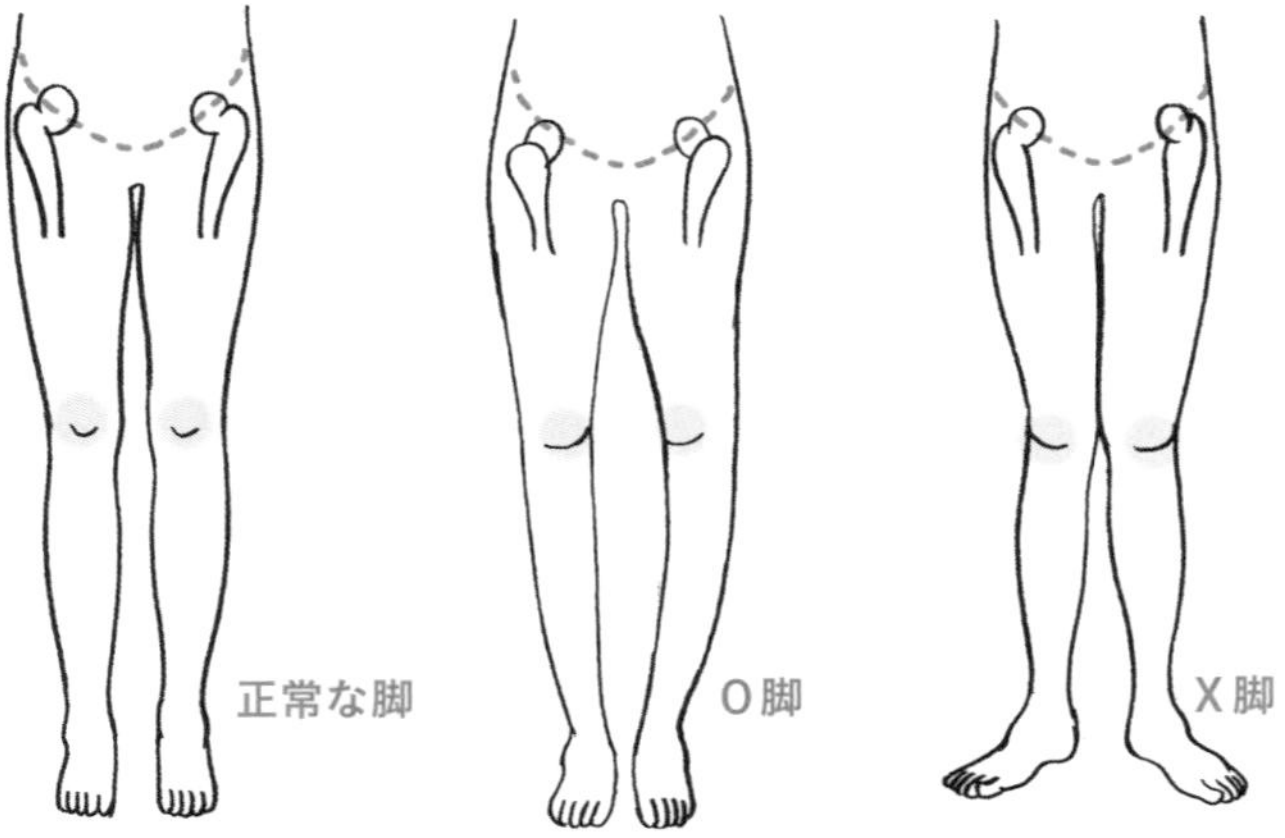

①大腿骨の向きはどうか？　②ひざはくっつくか？
③土踏まずがあるか？　これらが見分けるポイント。

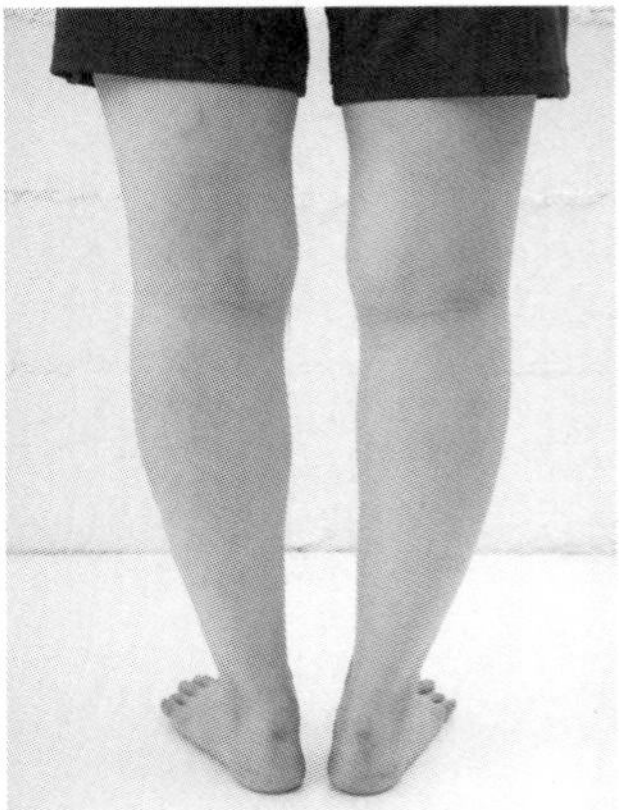

O脚は大腿骨が内旋し、両ひざが内側を向き離れる。土踏まずがない扁平足が多い。

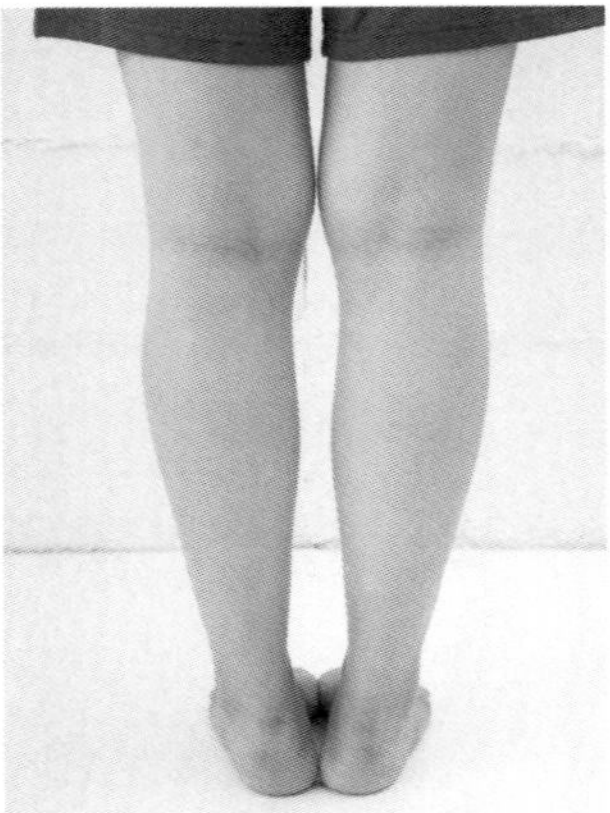

X脚は大腿骨が外旋し、両ひざは外側を向きくっつき、両くるぶしの間にすき間ができる。土踏まずはハイアーチ。写真は完璧なX脚ではない。

ＸＯ脚とは？

ＸＯ脚の定義ははっきりしていないのですが、軽いX脚の定義でいうと、股関節は内側に向き（内旋）、ひざはくっつきます。そして両足は扁平足気味ですが、足部は「そとわ」（つま先が外に開く）になっている場合があります。また、「うちわ」（つま先が内に向く）になっている人も最近特に多いようです。

このようにまぜこぜの状態なのですが、年齢関係なくこのタイプに多く見られるのは、骨盤の外側にある筋肉が短縮していることです。Ｏ脚のようにひざが内側を向いているけれど両ひざはくっついているのがこのＸＯ脚（Ｏ脚はひざがくっつかない）。そして両かかとはくっつくけれど、ふくらはぎは離れているという状態です。

歩行時や動作時にひざがくっついていても、リラックスしているとX脚姿勢（ひざが外を向く）になるという場合も多く、筋肉が伸びすぎていたり、固すぎたりといった問題もあるので慎重に動きを見る必要があります。

● **扁平足である**（足裏のアーチがなくなっている）

足裏の土踏まずが落ちてしまう扁平足状態（「回内」といいます）はO脚に多く、その逆のハイアーチ（「回外」といいます）はX脚に多いといわれます。しかし、足裏の筋肉が弱化してくると、X脚の人も土踏まずが落ちてくる傾向が多く見られます。

もうひとつ、男性より女性のほうに扁平足状態が多い理由があります。それは骨盤の形です。

骨盤の幅が男性に比べて女性のほうが広いので、股関節から足部への角度が大きく、力が外側から内側に入り込むような動きになりやすく、着地時に足裏内側（親指側）に負担がかかって回内しやすいということも考えられます。男性と比較して女性のほうが筋力が弱いことも、足裏のアーチを支えられない理由のひとつです。

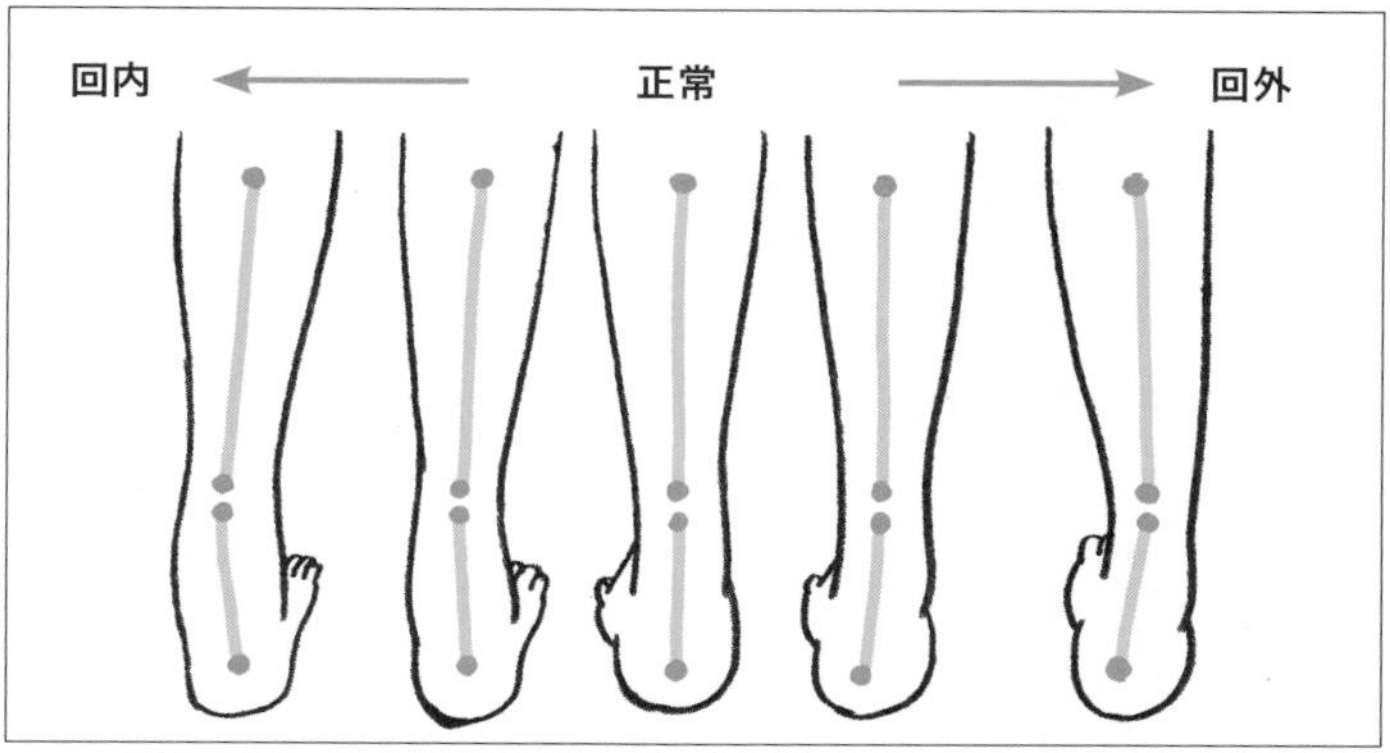

すべて右足。中央が正常で、左に行くほど土踏まずのない扁平足（回内）、右に行くほど土踏まずが高く上がるハイアーチ（回外）。

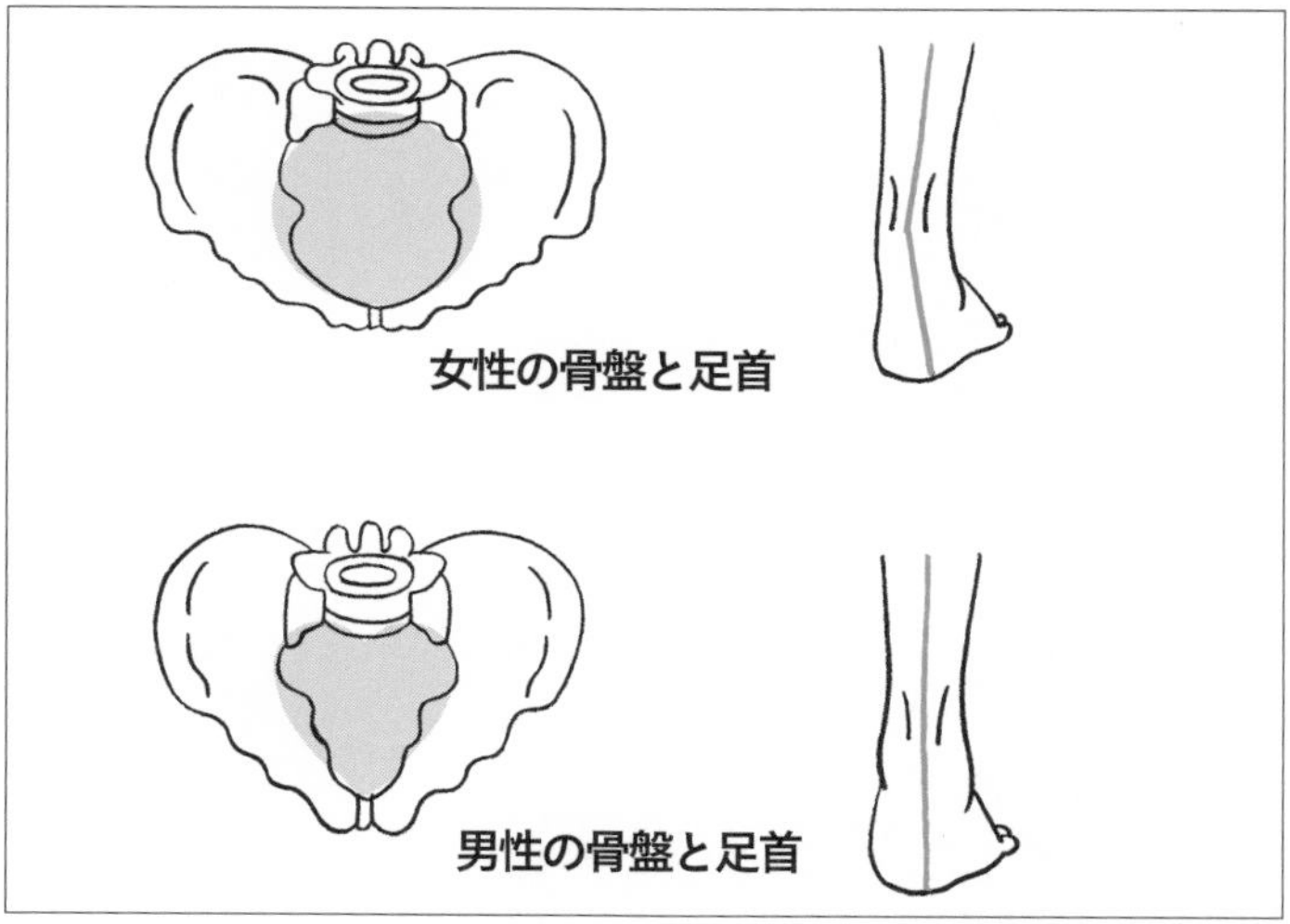

上／女性の骨盤は幅広で縦が短めなので、足部への角度が強くなる。
下／男性の骨盤は幅が狭く、縦が長め。

・お尻を左右に振って歩く

軽いX脚の場合、骨盤の外側にある大腿筋膜張筋《だいたいきんまくちょうきん》という筋肉が緊張している場合が多く、大腿骨が内側を向き、ひざ下にある脛骨《けいこつ》という骨が外側にねじれ、足が「そとわ」（つま先が外に開く）になっている場合、足は扁平足になっている人が多いです。XO脚かもと思われる方は注意深くご自身の足・脚を観察してみてください。さらにこの大腿筋膜張筋が働いていない人は歩行時にひざが揺れます。

少し歩幅を広くして歩いてもらうと、お尻を振るように歩きだすのでこの筋肉の弱化が確認できるのです。

・ひざが過伸展している

O脚もX脚も程度の差はあれ、ひざが過伸展しています。このように大腿骨、足、ひざ過伸展の特徴が重なっていくと、骨盤の傾きや、腰椎《ようつい》の反《そ》りぐあい、猫背にも影響していくことがわかります（お尻を下げて鼠径部《そけい》を突きだしたり、お腹が反っていたりすると、それをプラスマイナスゼロにしようとして、首や背中が丸くなります）。

変形性ひざ関節症が起こる確率が高いのはO脚です。なぜならこの症状は両ひざが内側を向く変形が多いからです。O脚の場合、ひざ関節の内側に圧力がかかるため、その部位の軟骨や半月板を痛めやすく、逆に外側は伸ばされるので腸脛靭帯炎《ちょうけいじんたいえん》を発症しやすいのです。

X脚は骨盤が前傾し、腰椎の前弯《ぜんわん》が強いタイプに多く、股関節が伸展しにくい人が多いです。鵞足炎《がそくえん》といった症状でひざまわりが痛くなる可能性が大きいのですが、どちらかというと変形性股関節症に気をつける必要があると思います。

どちらの場合も、ひざ関節が過伸展しているところが共通点です。

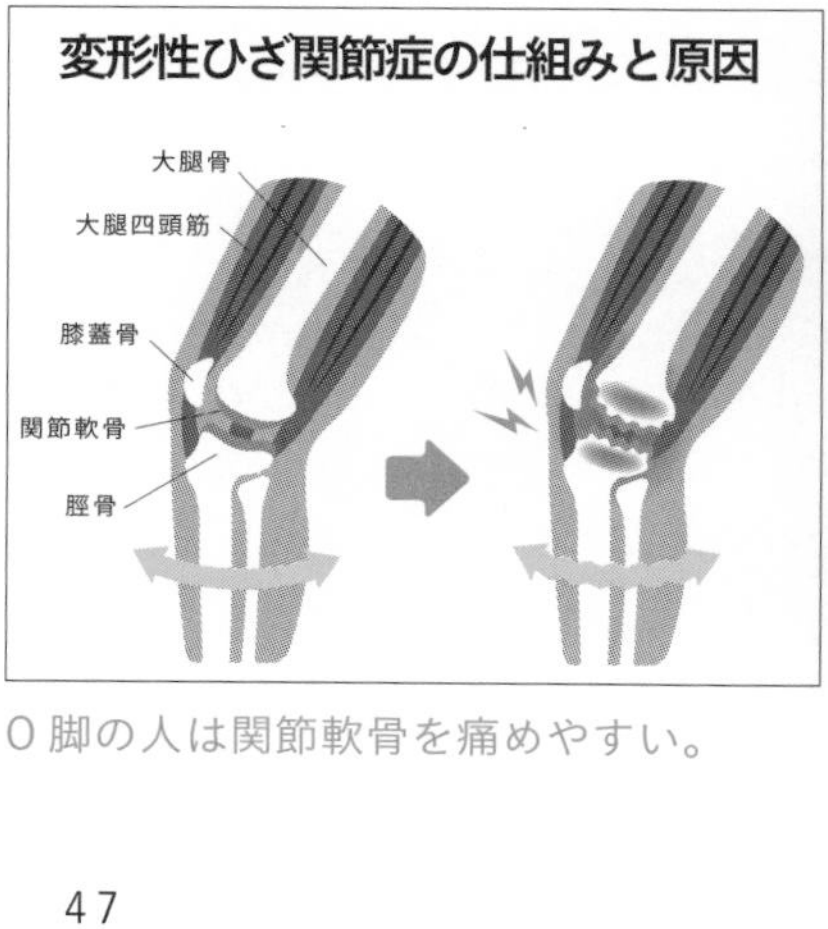

O脚の人は関節軟骨を痛めやすい。

ひざが過伸展している人。

ガニ股である

男性に多いタイプですが、バレエ経験者にも多いです。バレエダンサーは股関節を外側に向けられるように鍛えます。体は細くとも、しなやかな強い筋肉を作り上げていて、足（足首から下）の筋肉も分厚く発達しています。

バレエ経験者の歩き方の特徴は、つま先が外に開く「そとわ」です。バレエをやめてもそのクセだけが残り、両太ももをくっつける内転筋が加齢とともに弱り、腹筋力が衰えてくるとひざを曲げるほうが楽になってくるのです。

これは骨盤の向きと大きく関わるのですが、同時に股関節も曲がって腰が曲がった状態になる場合が多く、このタイプのひざ痛も見過ごせません。

実は縫工筋《ほうこうきん》という筋肉が拘縮すると股関節が曲がり、太ももが外に開いて外側

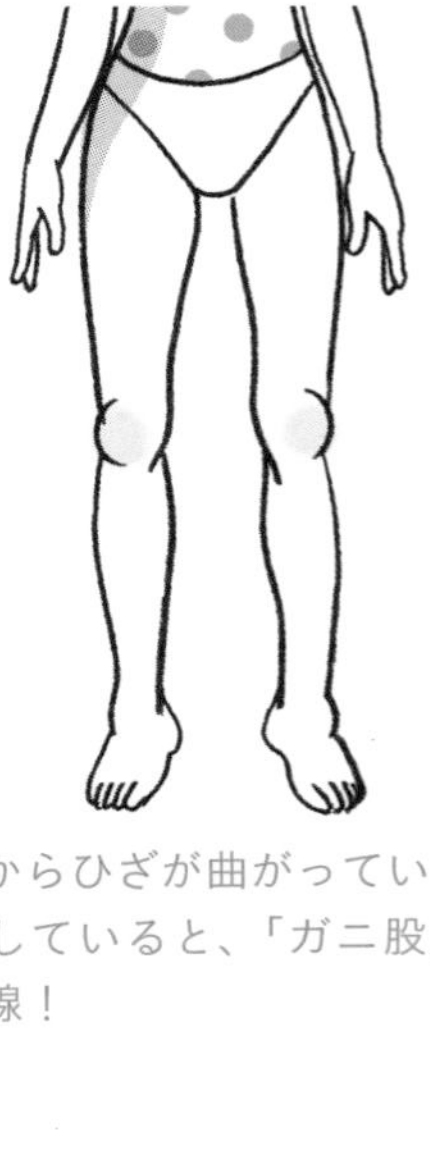

外股からひざが曲がっていくのを許していると、「ガニ股」へ一直線！

にねじれ、ひざも曲がったままになります。

こう書くとわかりにくいですが、これは「ガニ股」になるということなのです。この状態で立ってみると前かがみになるのは避けられず、やはりひざに負担がかかってしまいます。最近頻発している高齢者の運転ミスはガニ股も原因のひとつではないかという説もあります。**脚をまっすぐに保つためには、筋力が必要なのです。**

●靴の底の外側がすり減っている

足裏の力がなくなってくると足裏のアーチがくずれ、扁平足になっていきます。靴底の外側がよくすり減る人は足が扁平足になっている証拠です。扁平足になると靴の内側がすり減るんじゃないかなと思いますよね？　実は逆で、脚が弯曲することにより、靴の外側がすり減るのです。足が扁平足になると骨のバランスが崩れていくので、重心がかかるひざにも影響が出ます。

逆にハイアーチになっている人が多いX脚の人でも、加齢とともに足のアーチを支える力がなくなってきて土踏まずが落ちてくる場合がほとんどです。

もし「昔に比べて足幅が広くなってきた」と感じていたら、それは私と同じ開帳足《かいちょうそく》です。そこから外反母趾や内反小趾へと知らない間にどんどん病変が進んでいく場合が多く、足の指が曲がったままになるハンマートゥになってしまうと足裏のアーチを維持するのが難しくなります。足に合った靴を履くことで矯正もできますが、筋肉や骨格の正しい位置を知ることも非常に大切です。

40歳以降にひざの間にすき間ができてきた

チェックのどれにも当てはまらなかった人も、両ひざの間にすき間が空いてきたら要注意です。加齢や肥満などの理由で、軟骨が変形したり、関節のすき間が狭くなったり、消失したり、骨棘《こつきょく》（骨のとげ）ができたりする病変もあります。

多くの病変はひざの関節の内側が狭くなる、内反変形（ひざが内側を向く）です。ひざをくっつける力には内転筋や内旋筋という太ももの内側にある筋肉が大きく作用するのですが、これらの筋肉が固くなっていると、脚を左右に開きにくくなります。

そうすると殿筋群にも影響があらわれます。尿もれの心配が出てくるのもこのケースです。男性は前立腺の問題や勃起不全といった悩みも生じてくるのですが、ともにかなりひどくなってからでないと、他人や医師には相談しないケースが多いようです。

脚が開いてきたり、ひざのお肉が下がってきたり、お尻に張りがなくなってきたりなど、見た目に変化が出てきたら、体が発する警報だととらえましょう。正しい位置に戻すために必要な筋力を取り戻すことが重要です。

コラム①

加齢と歩幅の関係

歩幅が狭い走法のランナーは足裏の障害が多い

マラソンの走法はストライド走法（身長や速度と比較して歩幅が大きい走法）とピッチ走法（身長や速度と比較して歩幅が小さい走法）に分けられますが、歩幅の狭いピッチ走法のランナーはひざから下の骨（下腿骨）の疲労骨折や足底腱膜炎《そくていけんまくえん》（足底筋膜炎）などを発症しやすいと言われています。

一方、ストライド走法で多い障害は大腿部の肉離れや股関節の障害です。加齢とともに歩幅が狭くなるのは足裏のバネが弱って、前や後ろへ推進する力が落ちてくるからです。使われなくなった筋肉は固くなるので、いつもより歩いた、ちょっと運動した、などという普段と異なる動作で一気に「足裏の筋が痛い」という足底腱膜炎が発症します。治す方法はただひとつ。動かすことです。

認知症予防となる目安は3つ

加齢といえば、認知症が社会問題になっていますが、

①しっかり噛んで飲み込めること（唾液が出ること）
②握力があること（ひとは手首、足首から弱る）
③大股で速く歩けること

この3つを意識して取り組んでいけば、認知症予防になることは間違いないといわれています。

①しっかり噛める、飲み込める

歯が悪かったり、欠けていたり、ずれていたりしたら？　無理なダイエットをしていたら？　唾液が減り、飲み込む力が弱まると免疫力が下がり病気になりやすくなります。「あご」（下顎骨《かかくこつ》）はぶらさがっているだけなので、簡単にずれてしまうのです。しっかり噛んで動かしてないと、顔まわりはひきしまりません。

②握力がある

手の薬指、小指に力が入らないと握力の数値は上がりません。若い頃から何年もの間、爪を伸ばしている人は握力も落ちてきます。爪が長いとしっかりこぶしを握ることができないからです。指先がしびれるという人は薬指、小指の握りが弱く、また肩に痛みも出やすい。テニスやゴルフなどでも、この薬指、小指の使い方が重要です。

③大股で早く歩ける

大股で速く歩くためには足裏のバネが必要です。O脚は、足の親指の付け根に力が入らず、小指側に体重が乗ってしまい、外側の縦アーチがなくなる人に多い症状のひとつです。足の中指、薬指、小指をくるんと丸めてしまうため、足の指の腹で床を押さえる力が足りないのです。

X脚タイプの人も足の指の付け根だけで歩いている人が多く、足が背屈しにくくなっている場合（力を抜いて寝ているときに、足の甲が伸びてしまう）、やはり足の指の腹でしっかり床を押さえる感覚がありません。蹴りが弱い人は、足の薬指の力が「弱い」のです。

このように、一般的にいえば手と足のどちらも薬指の力が弱いことがわかります。ピアノの練習でも苦労するところです。

リフレクソロジーという療法（反射療法ともいいます）があります。主に足の裏の特定部位を押せば体の特定部位に変化が起こるという考えに基づき疲労の改善などをはかる療法です。

手の薬指、足の薬指（腹側）にあたる反射区は「耳」なのです。中医学では「耳」は腎と関わるところ、そして腎の衰えは「老化」です。さらに手足とも、薬指は「邪気が入りやすいところ」と古代の人は考えていました。そういえば結婚指輪をはめるのも薬指ですね。

早いうちにひざを治して、今まで以上に広い歩幅でスタスタと歩けるようになってください。

第2章

ひざ痛を治すために知っておきたいこと

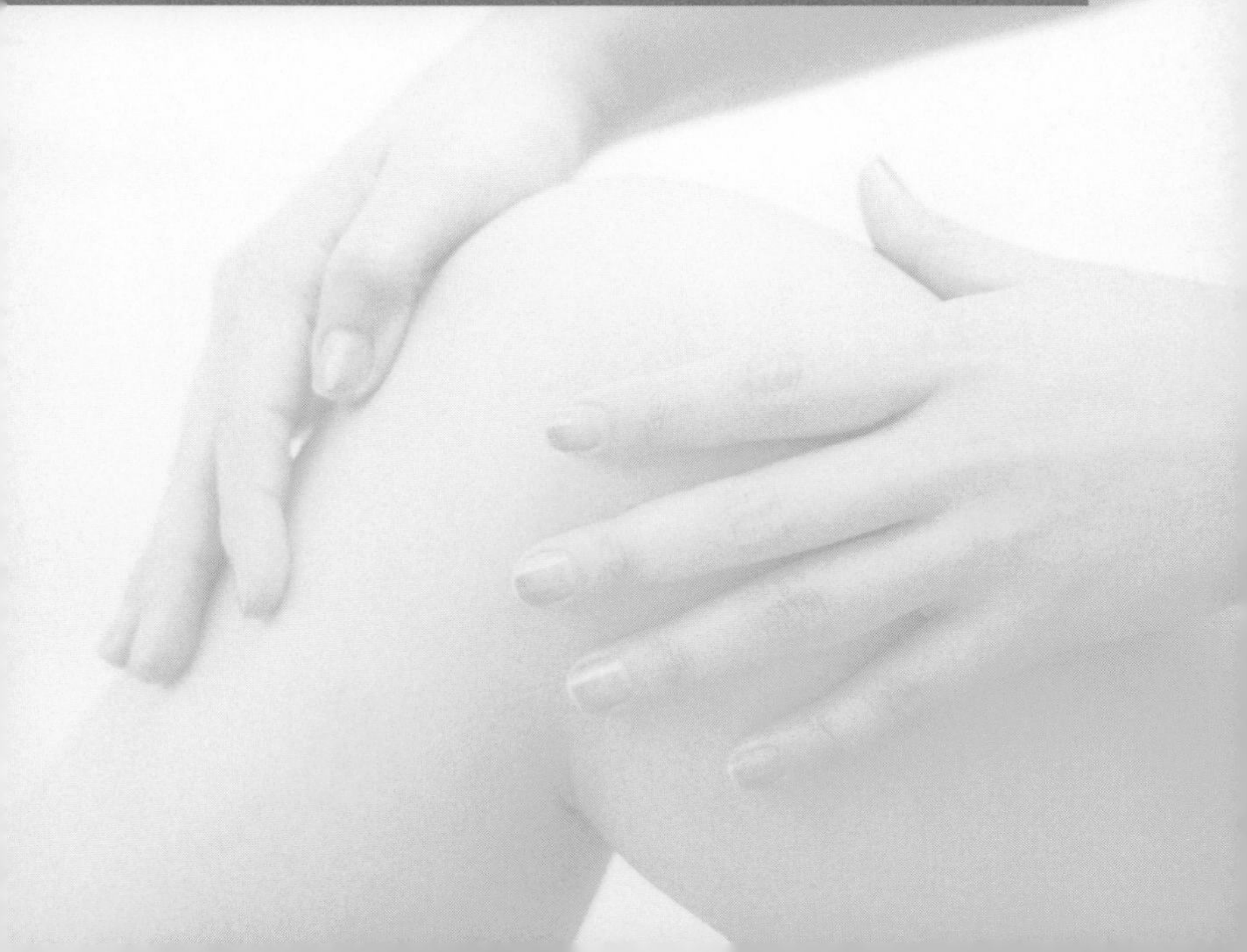

ひざ痛はひざだけの問題ではなくなります

ひざが痛くなると、人はどうしても痛みが強い側のひざを使わずに動こうとします。安静にする目的であればいいのですが、そのまま痛い側の脚を使わないことが日常化していくと、筋肉はどんどん弱化していきます。脚を引きずるような歩き方や、背骨が片方に曲がったような歩き方をしているとそれが習慣となり、姿勢そのものが変化して、不良肢位（日常生活で支障をきたすような手足の位置や関節の角度）になっていくのです。

これが姿勢だけの問題だと思ったら大間違いです。背骨には神経の出入り口があるので、ゆがんだ骨は神経を圧迫し、その神経が向かう先の内臓の働きにも影響していきます。

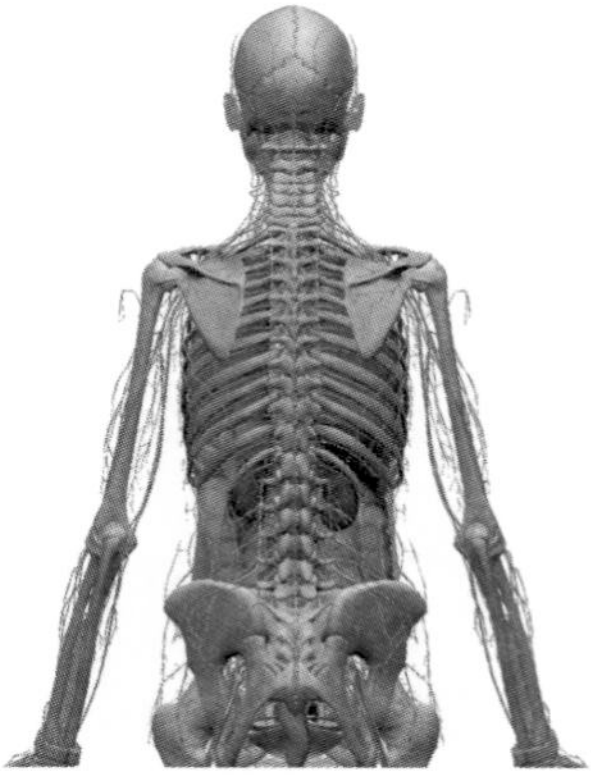

背骨には神経の出入り口が数多くある。

「正しい姿勢」という静的な部分だけでなく、「正しい動き方」という動的な部分にも目を向けると、今まで使えていなかった筋肉が明らかになってくるはずです。

動き方を変えることが、目に見えて、形を変えていくことにもなるのです。

まっすぐできれいな脚を作ることが、ひざ痛改善への道

ひざ痛を治すためには、今までうまく使えていなかった筋肉を強化していけばいいわけです。変形性ひざ関節症になりやすい人は、もともと足や脚の筋肉の使い方が悪く、不良肢位になっている人が多いのです。

ということは、まっすぐできれいな脚を作ることが、ひざ痛改善への第一歩でもあるわけです。ひざに負担をかける動きや姿勢を無意識にとってしまう自分のクセがわかると、弱化している筋肉が見つかります。それぞれの筋肉の正しい動かし方ができれば、健康と同時に美しさも手に入れられるのです。そのためにはまず、自分の骨盤の向きのクセを知る必要があります。

あなたの骨盤は前傾タイプ？　後傾タイプ？

外国の人々の姿を思い浮かべてみましょう。アメリカ、アフリカ、ロシア、ブラジル、中国、インド、フィリピン、タイ……。なんとなく各国の方々の容姿のイメージが思い起こせるのではないでしょうか。先祖から受け継いだＤＮＡが、民族の違い、体格や皮膚、目、髪などの色、体臭、アルコールへの耐性などにもあらわれます。

日本人はといえば、リオのカーニバルで見るブラジル人のようにお尻がアップしてプリプリしているわけではありません（実は結構整形しているそうですが）。バストがあふれそうに大きいわけでもありません（バストも実は整形が多いそうです）。

しかし、細かく見ていけば、日本人の中でも違いがあります。持って生まれた骨格とそれに起因するクセや筋力の差、関節の可動域の制限などから生じる体の形の違いです。同じ運動競技をしていても、結果が出る人と出ない人がいるのは、自分の体の特徴を知っているか、知らないかの違いだと私は思います。

お腹が反《そ》ったままだったり、お尻を下げたままだったり、首が前に倒れっぱなしだったり……。それは自分にしかわからない感覚でもあるのです。

Ｏ脚やＸ脚、ＸＯ脚、そして骨盤の向きや背骨の弯曲も、それぞれの人で異なっています。そうすると見た目では他の人と同じ運動をしている場合でも、筋肉の使い方が異なってくるのです。自分の体に必要な筋肉を意識して運動をすることで、効果にも歴然とした差が出てきます。

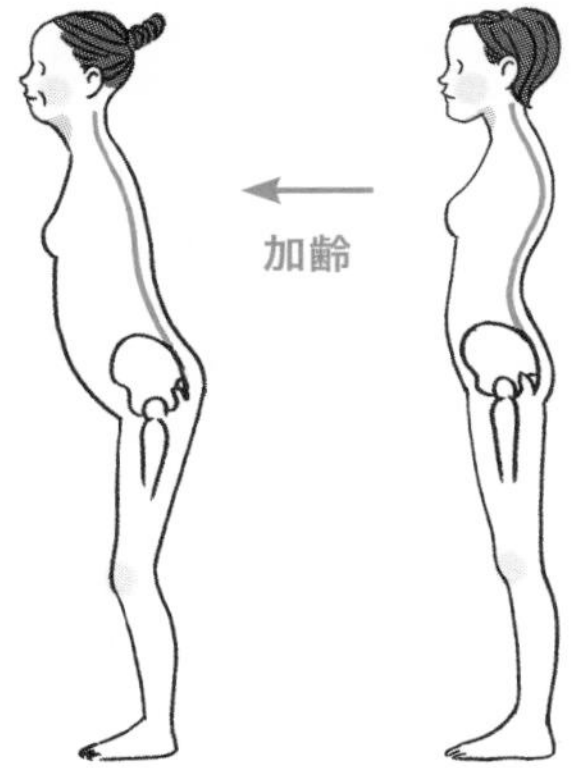

骨盤前傾タイプ。加齢とともに、ひざや股関節が屈曲し、お腹に肉がつく。首の付け根がコブのようになる人も。

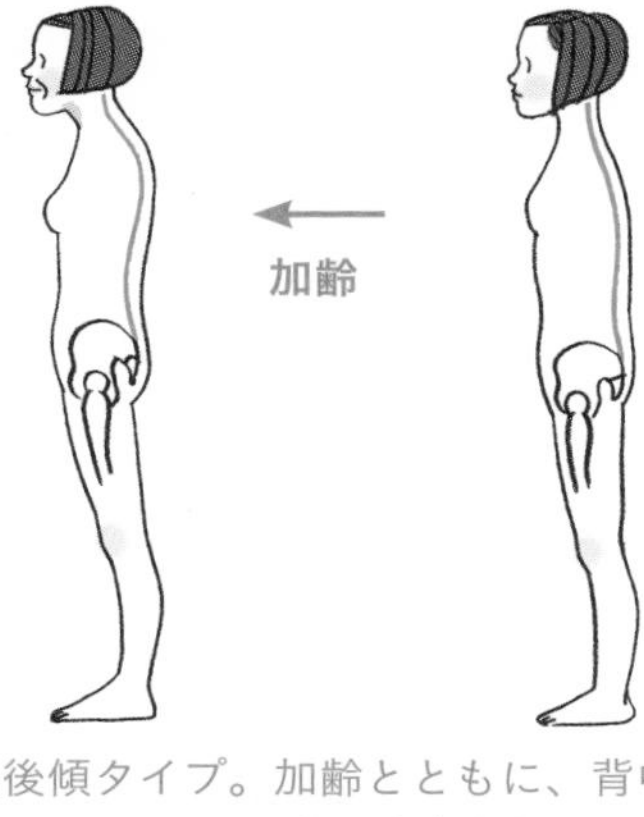

骨盤後傾タイプ。加齢とともに、背中の丸み、お尻の下がりが強くなる。お腹にはそれほど肉がつかない。

病院では教えてくれない応急処置

「炎症の5徴」を確認しよう

今あなたが痛みを抱えているのであれば、運動をしていくにあたって、基本的な応急処置について覚えておきましょう。知っているだけで、むやみやたらに不安にならずにすみます。

病院はたくさんの患者さんを抱えています。ひとりひとりにかけられる時間は少ないので、最近ではパンフレットを手渡されるだけの場合もあります。

でも、実際にそのパンフレットを読む人はどのくらいいるのでしょうか。ひざ痛を起こす大半の人は中高年ですから、小さい文字が見えづらく読むのが面倒だろうなと思います。お医者さんから処方された湿布薬と飲み薬だけで対処して、また痛くなったら病院へ行こう……。きっとそう思っているのではないでしょうか。

しかし、大事なことですので、しっかり応急処置の仕方を覚えましょう。

まずは「炎症の5徴」を確認しましょう。打撲《だぼく》や捻挫《ねんざ》、骨折などで筋肉が急激に縮んだり伸びたりすることで起こるケガへの対処法にもなります。

炎症の5徴

- 発赤《ほっせき》　赤くなっている
- 熱感《ねつかん》　熱を持っている
- 腫脹《しゅちょう》　腫れている
- 疼痛《とうつう》　痛みがある
- 機能障害《きのうしょうがい》　動きにくくなっている

炎症にはいくつかの種類がありますが、ひざ痛の初期に生じる反応も炎症です。急性炎症が起こると毛細血管が拡がり、患部の血流が増えます。拡がった血管からは血液の成分が血管外にしみ出していくので、組織に浮腫《ふしゅ》が起き、これが腫れの原因となります。

浮腫が起こるとその圧力が患部を圧迫し、体の中にある化学伝達物質が「炎症性サイトカイン」を刺激するので痛みが出てしまうのです。原因となるものの修復が見られないと、これらの要因が合わさって患部の動きが悪くなっていくのです。

覚えておいたほうが良い応急処置の基本は、ＲＩＣＥ《ライス》です。

●Rest（レスト）安静
●Icing（アイシング）冷却
●Compression（コンプレッション）圧迫
●Elevation（エレベーション）挙上=持ち上げること

急性炎症の場合は、まずこのＲＩＣＥの処置をすることで、痛みや腫れを軽減することができます。

西洋医学と中医学(東洋医学)の考え方の違い

変形性ひざ関節症で、ひざに水が溜まることを「ひざ関節水腫」といいますが、この水は滑液《かつえき》です（外傷がある場合は血液）。

ひざの水を抜いたことがある人はわかると思いますが、滑液は薄い黄色をした少しねっとりした液体です。滑液とは関節液のことで、関節の動きを滑らかにする作用とともに軟骨細胞へ栄養を与える役割を担っていて、ヒアルロン酸やたんぱく質を含んでいます。

この滑液、ひざの関節には通常時は約1～3cc程度しかないのですが、腫れて水を抜いてみると、60cc以上になることもざらにあります。

西洋医学では、ひざに溜まる水が滑液であるということ、そして関節の中に何らかの炎症が起こると過剰に水が産生されるということがわかっています。しかし、なぜ水が溜まるのかについてはまだ原因がわかっていないのです。

ひざに水が溜まるとパーンと張って重だるく痛み、ひざも曲げられず、気持ちもどんよりしてしまいます。その対症療法として西洋医学では「水を抜く」という処置を施します。ひざ関節を滑らかに動かすため、滑液に本来含まれているヒアルロン酸が減っているわけですから、「とりあえず注射でも打っておきましょうか?」という処置になるのです。

一方、中医学では「水が溜まる」ということを「体の中に炎症（＝火事）が起きているから、冷やそうとして体の中の水が患部に集まる」と考えます。これは生体保護反応であり、炎症が消えれば水は必要なくなるので、体の中に吸収されて自然に消えるという考え方です。また、体に溜まった湿気である「湿邪《しつじゃ》」におかされると、血液の循環が滞って代謝が悪くなり、汗や尿で水分をしっかり体から排出できない状態になるとしています。それは「湿邪」による冷えが原因という考えです。体から水分が排出されないので、体がさらに冷えていくわけです。

治療法としては漢方薬やツボ療法、薬膳などで長期化した炎症（慢性炎症）に対処していくのですが、何ともわかりやすく納得のいく説明ではないでしょうか。

いずれにせよ急性炎症の場合は早く処置するのが一番いいのです。次に説明する正しいアイシング（Icing）の方法を覚えてください。その理由を知れば、さらに効果絶大です。

腫れたり水が溜まっていたらアイシングをする

腫れたり水が溜まっている場合は必ず冷やしてください。これをアイシングといいます。氷嚢《ひょうのう》があれば便利ですが、ビニールの袋でも代用できます。

氷嚢に氷と水を入れれば０℃になります。０℃の状態は凍傷の危険がなく安全です。実は患部の表面だけでなく深部まで冷却するのに最も優れているのは、摂氏０℃の氷です。この０℃の氷が０℃の水になるときに必要なエネルギーが周囲から熱を奪う能力が一番高いのです。

０℃以下にもなる氷のほうが冷却能力があると思ってしまいがちですが、氷と水で０℃を作りだしたほうがいいのはこういった理由からです。冷凍庫から出し

氷嚢の大きさはＳ～Ｌサイズなど各種あり、冷温両方で使用できる。

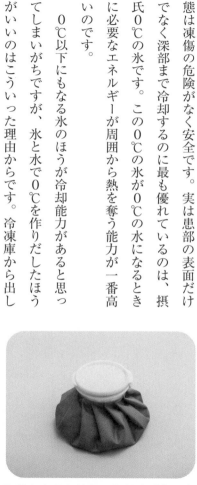

たばかりの氷は温度が0℃以下になっているので凍傷の危険もあります。コールドスプレーやコールドパック、冷湿布もとても便利ですが、一番効果が高いのは氷水と知ったうえで使い分けましょう。

患部に氷嚢を15分から20分間当てます。押し当てることによって応急処置の3番目、Compression（圧迫）も兼ねることができます。こう言葉にすると、「ふ〜ん、15分〜20分ね」と思われるかもしれません。

しかし、実際にやってみるとわかるのですが、相当冷たく、時間も長く感じます。感覚がなくなってきます。熱感が消えるのは当然ですが、痛いという感覚もなくなります。私も寒いのが苦手なのでアイシングをしてこなかったのですが、この効果には驚きでした。アイシングの重要性が身に染みてわかりました。

ただしアイシングは急性炎症の場合の対処法です。慢性のひざ痛、あるいは温めるほうが気持ちいいという場合は温めることを選択してください。私の場合、運動をしたあとにはアイシングをします。日常のお風呂やシャワーでは、動きにくくなっているひざを温め、その場で動かします。そしてじっくり関節の可動域を広げていくのです。特にシャワーのお湯を当てながら動かすという動作は、ひざだけでなく、肩や首、背中や腰にもよく効くので、お風呂場は運動の場ともなっています。

なぜアイシングするのかを知る

アイシングの必要性の第一には、二次的被害の予防が挙げられます。損傷した細胞膜や毛細血管から流れ出た細胞液や血液が細胞内に溜まると、まわりの毛細血管を圧迫して血液の流れを邪魔してしまうのです。そうなると周囲の細胞組織に栄養や酸素が運ばれません。この状態が続くとそれらの細胞は死んでしまいます。

患部をアイシングすると局所的に働きがにぶるので、損傷したところから流れ出る細胞液や血液の量が減少します。そしてその個所は細胞の新陳代謝が低下するので、少ない酸素や栄養で細胞が活動できるようになるのです。二次的被害が起きるのを止めるためにも、腫れたり熱を持っていたり出血したりしている場合は、アイシングが有効なのです。

さらにアイシングは痛みを感じる神経をマヒさせ、脳への痛みの伝達を弱めることができます。

筋肉や関節を痛めると患部から脳に痛みが伝わります。そうすると脳は周辺組織に対して筋肉を硬直させるように命令を出します。これを「筋スパズム」といいますが、これが起こると痛みが増し、さらなる筋スパズムが引き起こされてしまうのです。「痛みが痛みを呼ぶ」とよく言いますが、それは実際にこのようにして起きているメカニズムなのです。

アイシングで早いうちに痛みを感じる神経をマヒさせておくと、脳への痛みの伝達が弱まり、筋スパズムを軽く済ませることができるのです。

最近では運動前にもアイシングが有効なことがわかってきています。

痛み、腫れがひどいときは過激な運動はストップ

日本語に「痛み」をあらわす言葉は１００通り以上あるそうです。

ジンジン、ピリピリ、チクチク、ヒリヒリ、ズキズキ、メリメリ、ズーン、ジクジク、ガンガン、ピキッ、ズンズン……。

特に急性時の痛みや腫れがひどい場合は安静が一番です。腫れや熱感がおさまって、動かせる状態になったら早めに動きだしましょう。筋肉が固まってしまうほうが良くないのです。30年前の軽い捻挫が今のひざ痛を引き起こしてるのかもしれません。2～3日で治ったと思っていた捻挫で、実は靭帯を伸ばしていたことに気づかず、その後まわりの筋肉を強化しなかったせいで、歩行に影響を及ぼすようになり、ついにはひざや股関節が悪くなってしまったというような例は山のようにあるのです。

決して無理は禁物ですが、動かさないままでいると、筋肉は使い物にならなくなってしまいます。

「筋肉は使用されたときにのみ発達し、その筋力を維持できます。足の弱化の一要因は、これらの筋肉を発達させるための運動不足です」

これは、『筋：機能とテスト―姿勢と痛み―』（西村書店）の中に書かれている、ジョンズ・ホプキンス大学看護学部講師や米国陸軍軍医長官顧問などを歴任した著者、ケンダルの言葉です。

しかし、筋肉を鍛えるだけが痛みを克服するための正解ではありません。どの筋肉を動かすのか？　それを意識するだけでも痛みが消えるのです。

ほんのちょっと視点を変えて体を動かしてみましょう。

ひざ痛を自分の力で克服するためには、自分の体のタイプを知っておくこと、これがとても重要なことです。

コラム②
ひざ痛に関連する病気について

ほとんどのひざ痛は早い段階で正しく運動していけば治ります。そして難しい病名がついたものでもやはり運動をすることによって治していくものなのです。

ひざ痛を伴う病名にはこのようなものがあります。

・**変形性ひざ関節症**（女性に多く、高齢になるほど治りにくい。手術を要する場合もある）
・**半月板損傷**（改善しない場合は手術）
・**ひざ靭帯損傷**（前十字靭帯の場合、手術がほとんど。リハビリに3〜6カ月かかる）
・**ひざ離断性骨軟骨炎**（男性に多く、10代に出やすい）
・**オスグッド病**（成長期の一過性の病気）
・**スポーツによるひざの慢性障害**（オーバートレーニングなどで起こる。ストレッチとアイシングが必要）
　大腿四頭筋腱付着部炎（ジャンパーひざ）
　膝蓋腱炎（ジャンパーひざ）
　鵞足炎
　腸脛靭帯《ちょうけいじんたい》炎（ランナーひざ）」
・**膝蓋骨脱臼**（手術を受けた場合は回復に通常3〜6カ月かかる）
・**腓骨《ひこつ》神経麻痺**（手術や保存的治療）
・**O脚、X脚**（病的な場合もある）
・**ひざ関節捻挫**（手術や保存的治療）

どれもひざ関節内やひざ関節周辺の病気です。手術をした場合でも、必要なのはリハビリとしての運動です。気になる方は調べてみてください。

これらとは別に、体のあちこちが痛くなる病気があります。それらについて書いておきたいと思います。

・筋痛性脳脊髄《せきずい》炎（慢性疲労症候群）

極度の疲労
微熱や頭痛
痛み（筋肉痛、関節痛）
集中力や記憶力の低下
体温調節の不全
睡眠障害
音や光に過敏
自律神経の不調
免疫の不調

このような症状が6カ月以上続いた場合、この病気を疑ってみてください。元気だった人が、日々の暮らしが困難になるほどの疲労感に突然襲われます。詳しい発症原因はわかっていないので、明確な治療法も確立されていません。運動失調、歩行障害、起立不耐性（立位や座位を持続できない）などのひざ痛を含む症状を持つ人もいるのですが、見た目が健康そうに見えるので「ただ怠けているだけ」「心の問題」と周囲から理解されないことが多くあります。それに加え、診断や治療をしてくれる医師が見つからないので、医療制度と福祉制度が整わず、苦しい思いをされている方が多いのです。それぞれの患者がそれぞれの症状に対する対症療法を行っているというのが現状です。

・線維筋痛症

一般的な検査をしても明らかな異常が見つからないにもかかわらず、全身や体の一部に強い痛みが生じる病気です。痛みが慢性的に続くことから、日常生活に支障をきたすことがあります。体のこわばり、睡眠障害、うつ状態などさまざまな症状が生じる病気です。体の中に走る痛みや全身に感じる痛み、ひじやひざや指など全関節がじくじくする痛み。肌に触れるだけで普通の人では痛みとして認識しない程度の圧でも痛みの原因になります。

脳の機能障害が原因とされていて、早期発見・早期治療をして症状を軽減させることが望ましい病気です。線維筋痛症は一般的な血液検査や画像検査などでは異常が見つかりません。診断に基づき各療法でアプローチしていきます。

・脳脊髄液減少症

脳脊髄液が脳脊髄液腔から漏れ出ることで減少し、頭痛やめまい、耳鳴り、倦怠などのさまざまな症状が出る疾患です。吐き気、嘔吐、強い光で覚える不快感や痛み、後頭部痛、こわばり、視覚の異常、聴力障害などもあります。40歳前後の女性に多いといわれています。つい最近、女優の米倉涼子さんがこの病気を発症していたことが公表され、世間の注目を集めたばかりです。

以上のような病気はレアケースではありますが、ひざの痛みに関連してお伝えしました。不快な症状に悩まれている方はぜひとも一度個々の症状を調べてみてください。

ほとんどのひざの痛みは動かすことによって治るということを忘れないでください。

第3章

ひざ痛を治す鉄則と3つの基本

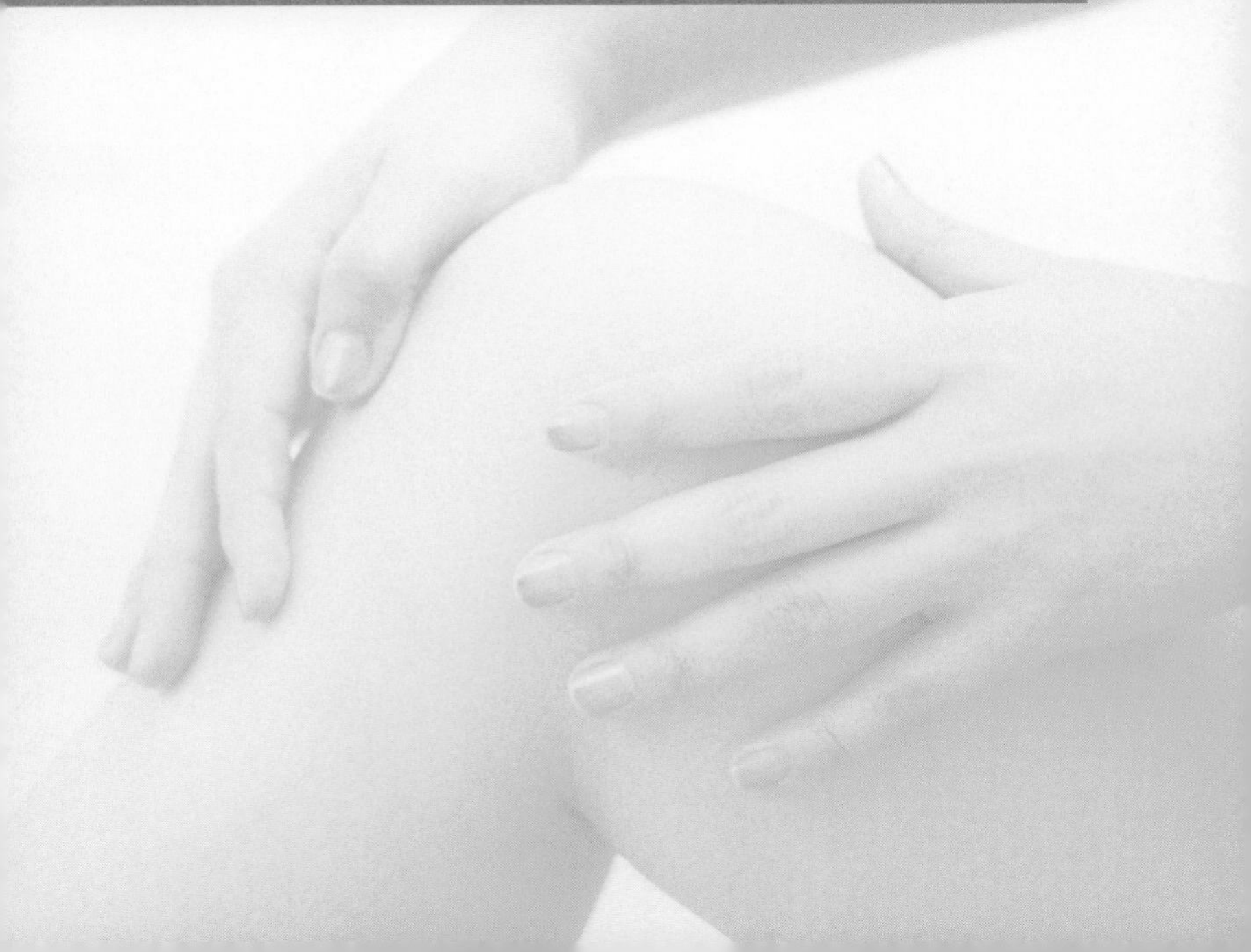

ひざの痛みが消える体の使い方

ひざの痛みが激しくなってきたとき、何をしてもどう動いても痛くて、冒頭に書いたようにそもそもの「体の使い方」「体の動かし方」さえも疑問に思い始めていました。特に足の指の動かし方について研究していた頃です。

そんなときに「ピタッと痛みが消える」という「事件」が起きたのです。

ひざが痛いながらも出かけた東京ディズニーシーでの出来事です。パーク内にある、ほんの3段ほどの階段でさえ「痛いだろうなあ……」と思って尻込みしてしまう自分を悲しく思いました。

行ったことがある方はおわかりでしょうが、何かのアトラクションのライド（乗り物）に乗り込む、降りるという動作がとてもひざにはつらいのです。あの段差は「ウグッ」と喉が鳴るほどで、まさに地獄のような思いです。

ところが「インディ・ジョーンズ®・アドベンチャー」というアトラクションに乗ったあと、ひざ痛が消えていたのです。とても驚きました。いったい私はどんな動きをしたのだろうと考えていくうちに、思い当たることがありました。

それは**体の後ろ側に力が入る**ということです。

上下左右に揺さぶられるライドの中で「キャーッ」と叫びながらやっていたこと。それは「足を踏ん張る」という動作でした。股関節を曲げ、ひざ関節も曲げ、足関節も曲げ、かかとをお尻に引き寄せるように力を入れていました。そして揺さぶられるのでひざに力を入れたまま右へ左へとねじれます。上下のときもあります。揺れに対応するために腹筋も使っています。

遊園地のアトラクションのライドでひざ痛が治るなんて！　その動きとは？

ひざ痛を防ぐには使っていない筋肉を目覚めさせる

そして**「踏ん張るという行為で使う筋肉は体の後ろ側だ」**ということに気がついたのです。自分の体を思い起こしてみると、「蹴る力」が弱く、姿勢は「前かがみ」です。太ももはハムストリング（下肢の後面を作る筋肉の総称）の存在を感じない形です。だからひざ痛が起きたのであり、そうであれば、この個所を強化すればひざ痛が消えるのだということを実感したのです。

ひざが痛くなったり、股関節やひざが曲がり、足腰に力が入らなくなるとどうなるのでしょう？

まず、大股で歩けなくなります。大股で歩けないということは、足裏の蹴りが弱いことに加えて、股関節が後ろに伸びないということです。そしてその状態が進むと、人は何か

ひざ、股関節が曲がり、肩が上がって、首は前に倒れたまま。

につかまりたくなります。

何かにつかまって歩くようになると、さらに前かがみになっていきます。この状態を続けていると、どんどん体の後ろ側の筋肉は鍛えられなくなり、やがて二本足で立つことができなくなります。

ひざが痛くならない方法の基本は、使っていない筋肉を目覚めさせることです。

特にひざ痛になりやすい人は、体の後ろ側の筋肉を使っていない場合が多く、自分の使いやすい筋肉だけで体を動かしてしまっています。それが脚の形にあらわれます。遺伝も関係しますが、今までの体の使い方から生まれた足や脚の形、そしてゆがみにあらわれてくるのです。

私は長年他人の脚を観察し、考察してきましたので、脚を見るだけでその人の上半身の形を当てることができるようになりました。

細かく見ると数多くのタイプに分けられますが、大きく分けるとタイプは２つ。骨盤後傾タイプか骨盤前傾タイプか、そのどちらの傾向が強いかということです。

この骨盤の傾きと背骨の弯曲の度合いで体を動かすときの筋肉の使い方に特徴が出ます。何年も、何十年も間違った使い方を続けていると、使わない筋肉がまず弱化します。次に拘縮していきます。固くなっていくということです。そして短縮、あるいは病的に萎縮していく場合もあります。

そして、そのどちらのタイプも加齢とともに弱くなっていくところがあります。そのことによって引き起こされるのが「ひざ痛」「股関節痛」「腰痛」などです。「肩の痛み」「首の痛み」も付随して起きる症状といえるでしょう。

だから眠ったままでいる筋肉を目覚めさせ、神経回路を開いてやり、まわりの筋肉みんなで協力して体を動かすようにすると「痛み」が消えるのです。

筋肉を目覚めさせるための法則は、体の後ろ側に力を入れるということなのです。

筋肉を強くする「縮め伸ばし」

筋肉の収縮の仕方にはいろいろあります。

腕相撲で考えてみると、

・勝っている側の筋肉は、短縮のみのコンセントリック（短縮性）収縮です。

・負けている側の筋肉は、収縮しながらも伸張されているというエキセントリック（伸張性）収縮です。

縮めながら伸ばす。あるいは、引き伸ばしながら収縮する。実は腕相撲で「負けている側」の筋肉の感覚で運動することが、筋肉を引き締め、強くしていくのには最適なのです。

腕相撲で負けている側の感覚で力を入れるのは、筋肉を引き締め強くするうえでは最適。

筋肉の収縮のパターンは他にもあるのですが、患者さんを混乱させないためにも、私のクリニックでは**「縮め伸ばし」**と命名しました。

どの部位の筋肉にもこの考え方で運動が編みだせるのです。

例えば「お腹」も「縮め伸ばし」。

「お腹をひっこめて縮めたまま伸ばす」

これだけでも、あっという間にウエストは締まります。

では、いよいよひざ痛を治す【鉄則】と、3つの【基本】を紹介していきましょう。これだけでも確実に効果が上がりますので、ぜひトライしてください。

「お腹をひっこめたまま伸ばす」のがポイント。「お腹を反らす」のではない。

コラム③

お年寄りは揺れに弱い

ひざ痛になってわかったことがあります。揺れる電車の中などでぶつかってくる人のことです。高齢の方に多いのは、やはり筋力が衰えて体を支えられないからだとはわかるのですが、いったいどこが弱るのでしょうか。

薄筋という筋肉があります。

薄筋は股関節とひざ関節をまたぐ二関節筋です。ひざの内旋および、屈曲する動作にも関わります。

・正座をする
・まっすぐな線の上を歩く
・足を交差させる

といった日常動作での動きのほかに、

・サッカーでのサイドキック
・ハードルのまたぐ動作

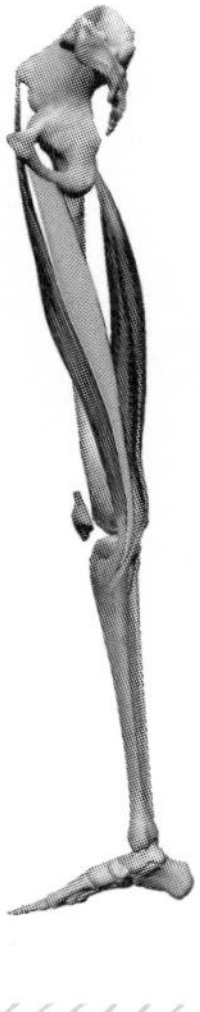

ひざ関節を内旋・屈曲させる筋肉
薄筋

○股関節の内転、ひざ関節の内旋および屈曲の補助をする。
○太ももの最も内側にあり、体表のすぐ下で確認できる。
○太ももを真横に上げると、この筋肉の起始（起点）がはっきりわかる。
○内転筋群で唯一の二関節筋。
○停止（終点）は半腱様筋および縫工筋とともに鵞足《がそく》となって停止する。
○正座をする、まっすぐな線の上を歩く、足を交差させるといった動きに必要な筋肉。

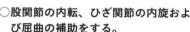

・乗馬で馬を脚ではさむ動作

このようにスポーツにおける動作においてもそのパワーは必要不可欠です。

そもそも股関節の内転とは、「両脚が開いた状態から脚を閉じていく動作」のことです。太ももを引きつけて閉じる動作で働く筋肉は、「腰の回転」にも影響するというのです。

するとここで疑問が生まれます。「腰の回転」って何でしょう？　ゴルフのコーチに「腰を回して～」と言われたり、テニスのコーチに「腕で打たずに腰でね～」と言われたことはないでしょうか。

しかし、実のところ腰の骨（腰椎）はほとんど回旋しません。たったの5度しか左右に回旋しないのです。体をひねる動作で、主に回っているのは「骨盤」や「胸の骨（胸椎）」なのです。そして骨盤を回すために必要な筋肉はお尻の筋肉やこの股関節を内転させる筋肉というわけなのです。

つまり、不安定な車内や人ごみの中で、人とぶつからないためには、瞬時に「ひざの回旋」とともに「腰を回す」動きができることで回避できるわけです。その大切な筋肉は、骨盤と太ももの骨をつないでいる、お尻や太ももの内側にあるということなのです。

このひざ関節の回旋はその場での回転（ピボット）や方向転換するときに、必要不可欠なのですが、ひざ痛持ちにとっては、とてもつらい動きです。しかし股関節や足関節にかかる力を調整し、動き全体をより機能的かつスムーズにするために重要なのですが、それだけではないのです。

お腹を細くするのにも内転筋は必要

腹直筋（シックスパックで有名）だけを鍛えても、ウエストは細くなりません。

斜めに走っている外腹斜筋や内腹斜筋などお腹を回旋させる運動をしていくと、女性の場合ウエストがくびれてきます。82ページで紹介したようにお腹を凹ま

股関節を内転させる筋肉
大内転筋

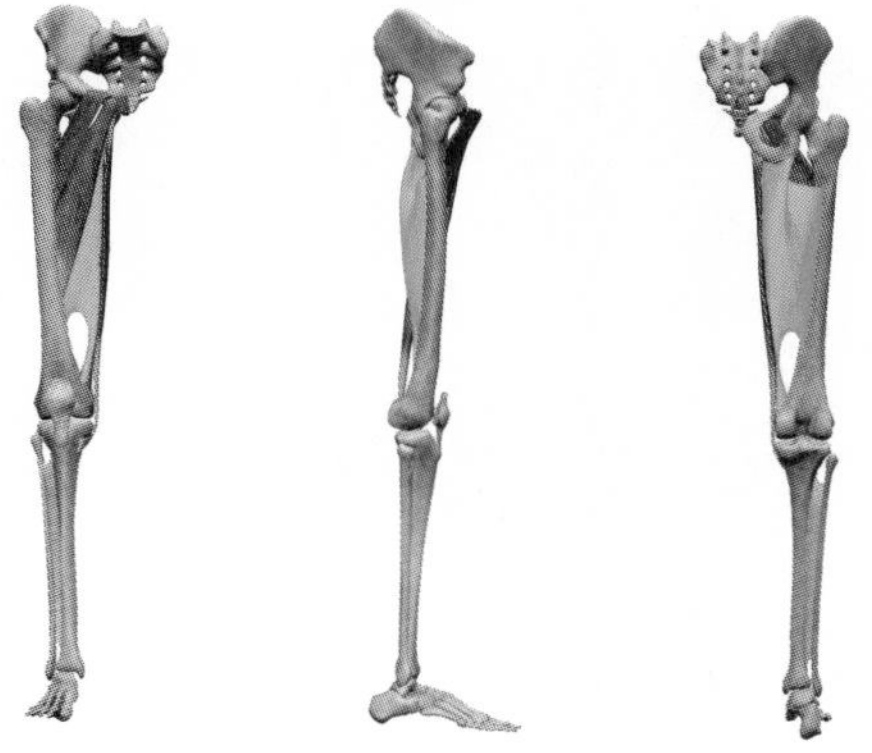

せて力を入れ、お腹を伸ばす、かつ腰を回す、といった「縮め伸ばし」をすればウエストはすっきりするのです（背中の肉も）。

X脚に多い、腰椎《ようつい》過前弯《かぜんわん》（反《そ》り腰）の人がむやみに腰を反らせたまま回旋すると必ず腰に痛みが出ます。お腹に少し力を入れて回旋させれば腰に痛みが出ない場合が多いので、お腹を意識してやってみてください。ひざを鍛えるとともにお腹もスッキリさせていきましょう。

【鉄則】自分の骨盤が前傾タイプか後傾タイプかを知る！

かかとを床につけてしゃがみ込むテスト

まずはかかとを床につけたまま、しゃがみ込めるかどうかを確認してみましょう。
しゃがみ込めましたか？

・しゃがみ込める人はお尻を下げることができる人。
・しゃがみ込めない人はお尻を下げることができない人。

お尻を下げるという動きは、骨盤を「後傾」させることになります。
しゃがみ込めない人は、骨盤が「前傾」したままなのです。

テスト

①両かかとをくっつけ、つま先を軽く広げ、
前を向いて立ちます。
②かかとを床につけたまましゃがみ込みます。

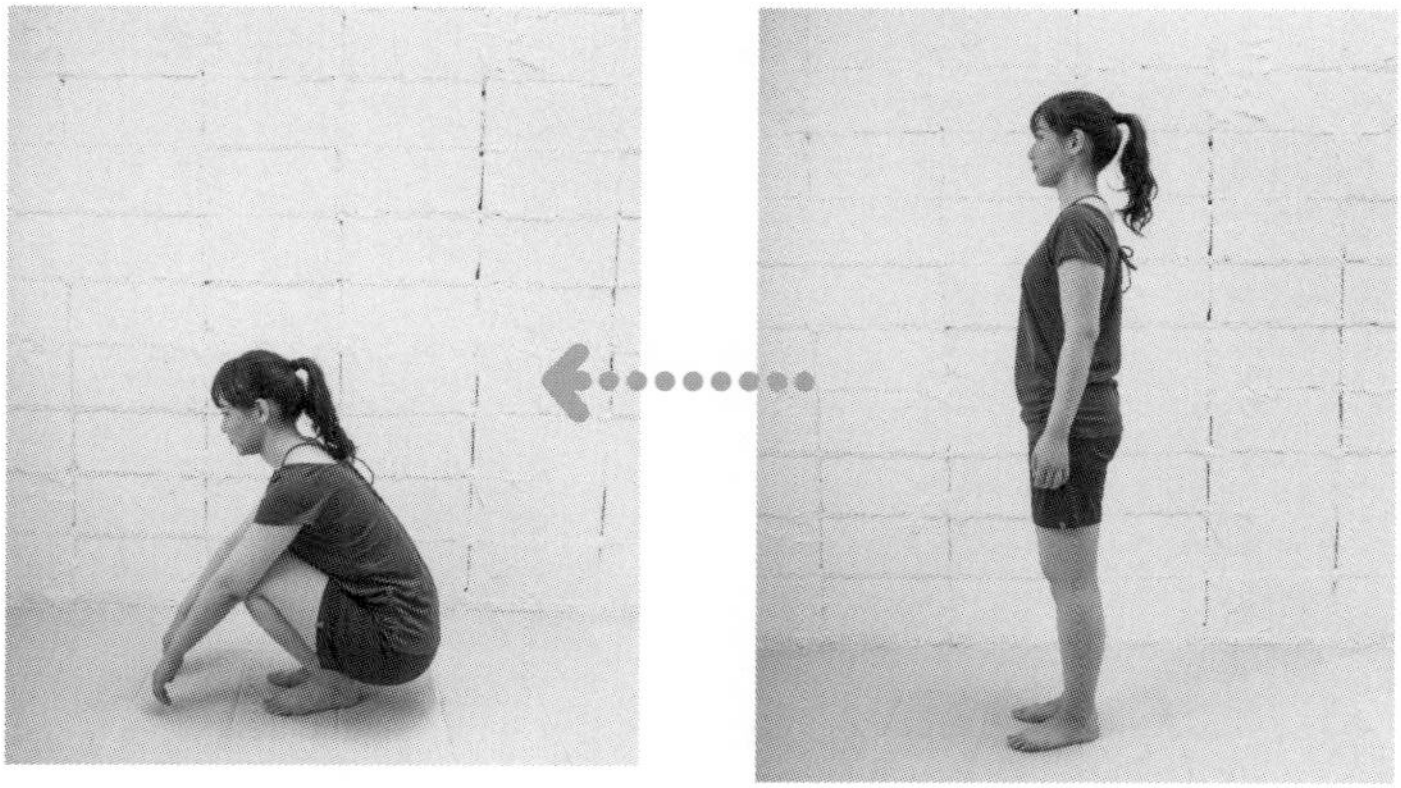

しゃがみ込める。お尻が下がる。

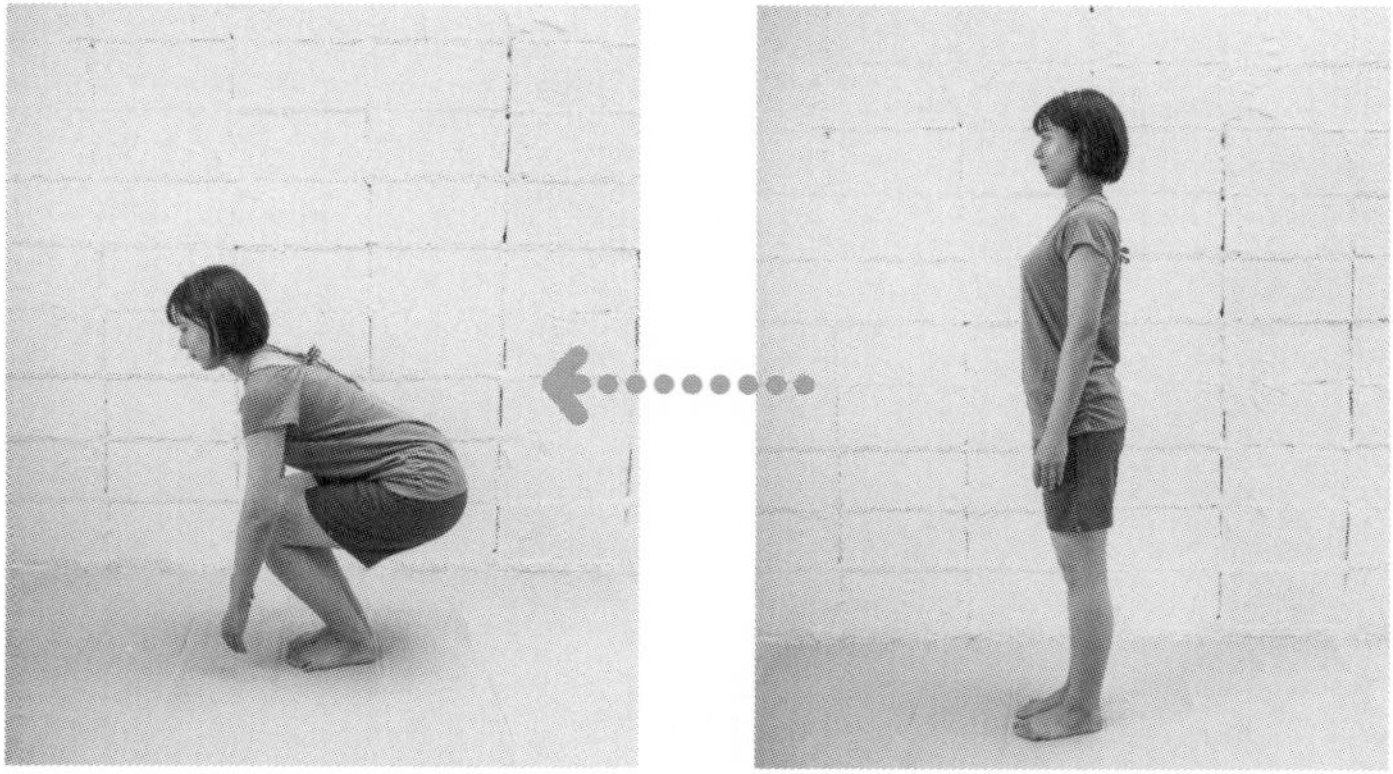

しゃがみ込めない。お尻を下げられない。

体の悩みでクリニックに来院される方を、五十数年にわたる私の脚の調査をもとに独断で分類させてもらうと、次のように分類できます。

●しゃがみ込める人の持つ悩み（骨盤後傾の悩み）

O脚、下半身太り、脚が太い、ひざ過伸展、ひざ痛、胸が小さい、下がったお尻の形、太もも付け根の太さ、姿勢の悪さ、血行の悪さ、冷え、背筋が弱い、尿もれ

●しゃがみ込めない人の持つ悩み（骨盤前傾の悩み）

お腹の肉、背中の肉、ひざ過伸展、太もも前の張り、ふくらはぎの張り、腰痛、あご・首のたるみ、頻尿、尿もれ、首後ろの肉、腹筋がわからない、ほてるのに冷える、ひざ痛

悩みの程度はその方の生活習慣、筋肉の質や動き方、運動能力などによってさまざまで、一概には言えませんが、先にも述べましたように、脚を見ただけで上半身の状態もわ

かります。あるいは、お年を召した方の若い頃の体形も容易に推測することができます。逆に若い方の場合は、放っておくとこうなるという予測がつきます。

しゃがみ込めない人にはX脚の方が多いのですが、X脚自体に悩む方にはあまり出会ったことがありません。しかし、その特徴的な脚だからこそ生まれる別の悩みが出てきます。

X脚はほぼ骨盤前傾タイプです。この骨盤前傾タイプというのは欧米や南米、アフリカの人々に多い体形で、これらの地域に多い疼痛は腰、背中が大半だということを聞くと、「やっぱり!」と思わずにはいられません。

X脚、O脚ともに「ひざ痛」は起こるのですが、O脚に由来するひざ痛が圧倒的に多いようです。そして年齢を重ねるにつれて筋力が弱ってくると、どちらのタイプであっても、さらにひざが離れてくるので、早めに自分のタイプを理解して対処するのが望ましいのです。

ひざ痛の運動を行ううえで、

●**骨盤後傾タイプは、すべての運動で少しお尻を上げ、胸を広げて行う。**

●**骨盤前傾タイプは、すべての運動で少しお尻を下げ、お腹を凹ませて行う。**

このことをお忘れなく。

「お尻を上げたり下げたりするってどういうこと？」と思った人は、腰に両手を添えて動かしてみましょう。ひざが痛くてしゃがみ込めない人は無理に行わなくてかまいません。自分がどのタイプかを判断して運動時の参考にしてみてください。

ではそれぞれの理由を説明していきます。

骨盤が前傾している。

骨盤が後傾している。

しゃがみ込むとはどういうことか

足を閉じて立った姿勢から、かかとを床につけたまましゃがみ込めない場合、アキレス腱が固くて伸びないから……というのもひとつの原因です。しかし、アキレス腱に問題がない人の中にも、しゃがみ込めない人がいます。

この「しゃがみ込む」という動き、ひざも股関節も曲がっている（屈曲している）のですが、股関節とひざ関節のどちらも実は伸ばそう（伸展する）とする筋肉が使われているのです。筋肉が縮みながらも伸ばされているという「縮め伸ばし」がここで行われている

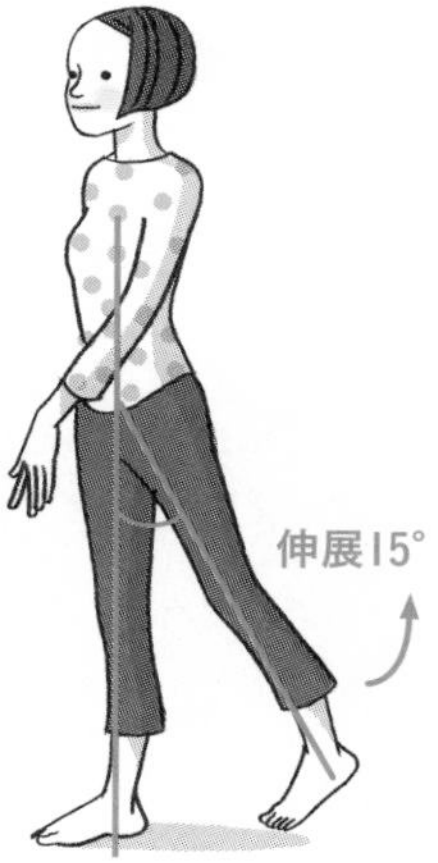

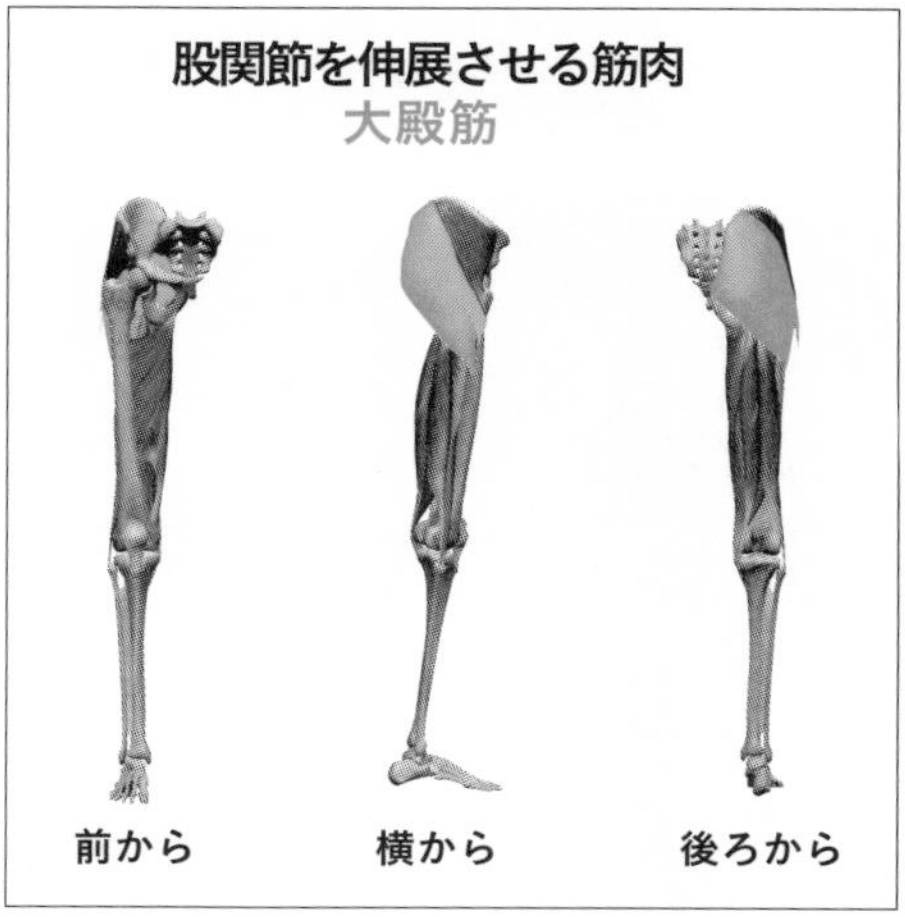

股関節を伸展させる筋肉の筆頭は大殿筋（お尻にある筋肉）。

のです。

股関節を伸展させる筋肉の筆頭は大殿筋というお尻にある筋肉です。それからハムストリングという太ももの後ろ側にある筋肉。太ももの内側の筋肉も使います。

ひざ関節を伸展させる筋肉の筆頭は大腿直筋という太ももの前にある筋肉です。それ以外の筋肉もすべて太ももの前にあります。

ということは、まず、かかとを床につけたまま、しゃがみ込めないという人は、これらの筋肉が「固い」ということになります。

「それの何が悪いの?」「西洋人だってしゃがみ込めない人が多いじゃない!」という声も聞こえてきそうです。一般的にお腹の肉に

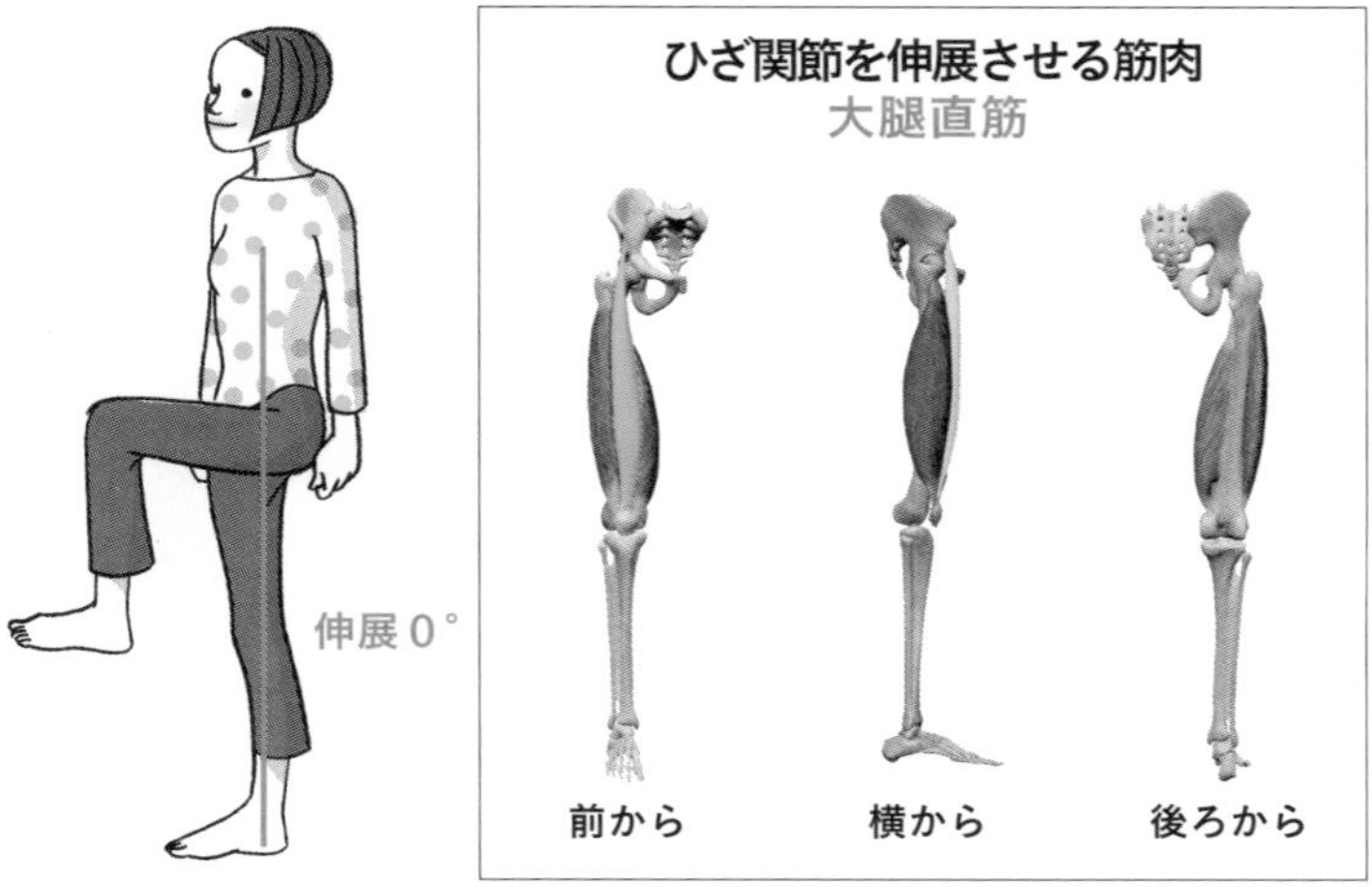

ひざ関節を伸展させる筋肉の筆頭は太ももの前にある大腿直筋。

悩む人はしゃがみ込むのが苦手です。でもそれはお腹の肉がじゃまをしているからではないのです。

お腹ぽっこりはお尻を下げるのが苦手

この「しゃがみ込む」という動作は、骨盤と腰椎（腰の骨）の動きに密接に関わります。

通常、人間の背骨は生理的弯曲《わんきょく》といってS字が2つあるように弯曲しています。この弯曲の度合いは、人によって異なります。

・首の骨（頚椎《けいつい》）は7個で前弯《ぜんわん》
・胸の骨（胸椎）は12個で後弯《こうわん》
・腰の骨（腰椎）は5個で前弯
・仙骨1個・尾骨1個で後弯　（尾骨は3～5個の尾椎が癒合し1個になっている）

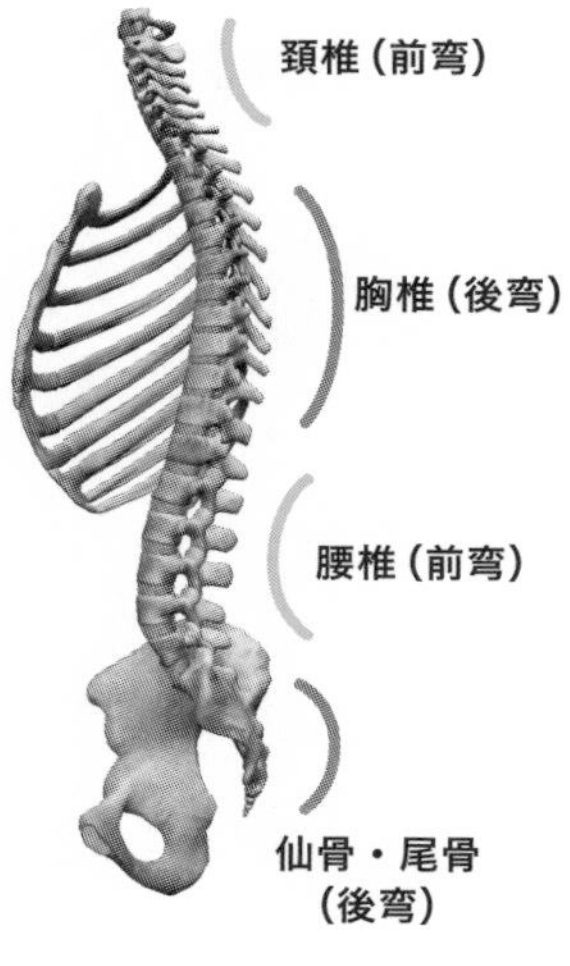

背骨は首が前弯、胸が後弯、腰が前弯、仙骨・尾骨が後弯で、S字カーブが2つあるのが生理的弯曲。

強い弯曲の人もいれば、私のようにほとんど弯曲のない人もいます。

「しゃがみ込む」という動作では、股関節が大きく屈曲するので骨盤は後傾し、もともと前弯している腰椎が、後弯するのです。お尻が下がるという表現のほうがわかりやすいですね。腰に手を当ててしゃがんでみると腰の骨が後ろ側に後弯してくるのがわかります。

しゃがみ込めない人というのは、腰椎を後弯させ、骨盤を後傾させる（お尻を下げる）ことができない人なのです。87ページの写真を見てもお尻が上がったままで腰も反《そ》ったままですよね。西洋人に多い、常に骨盤が前傾しているタイプです。

骨盤についている筋肉（大腿直筋・縫工筋《ほうこう》・恥骨筋など）が収縮してしまうと骨盤を引っぱってしまい、骨盤が前傾してしまいます。そもそも股関節を屈曲させる筋肉である腸《ちょう》腰《よう》筋（大腰筋《だいよう》＋腸骨筋《ちょうこつ》の総称）が短くなってしまっても骨盤は前傾します。

そうさせないように頑張ってくれているのが腹筋なのです。年齢を重ねるごとに、その腹筋が弱くなり、骨盤を後傾させておくことができなくなるわけです。

腹筋は骨盤を後傾させて腰部を平らにするので、腰にかかる負担を和らげてくれるのですが、逆にいえば、腹筋のない人は骨盤を後傾できないので腰に負担がかかるということなのです。このしゃがみ込むという動作、何でもない動作でありながら、腹筋力がないと「お腹が苦しい～」と悶絶する方も多いのです。この骨盤の向きを自分で知っておかないと、どんな運動をしても無駄になりかねません。

私が紹介するすべての運動では、O脚に多い背骨の弯曲が少なく、骨盤後傾でお尻が上がらないタイプの人は、「お尻を少し上げ、胸を起こし、胸郭を広げるようにして運動する」ことを忘れないでください。逆に骨盤前傾タイプの方は「お尻を少し下げて、お腹を凹ませながら行う」ことを忘れないように。もう一度書きますね。

●**骨盤後傾タイプはすべての運動で少しお尻を上げ、胸を広げて行う。**
●**骨盤前傾タイプはすべての運動で少しお尻を下げ、お腹を凹ませて行う。**

筋肉を正しく動かす前提は、正しい姿勢です。そこからがスタートです。自分にとってちょっと厳しい姿勢、ちょっと苦しい姿勢がまさしく正しい姿勢なのです。その状態で動くと神経回路がようやく正しくつながるのです。

【基本1】土踏まずを上げる力を作る！

体の後ろ側に力が入ればひざの負担は減る

まず足の指を広げてアーチ（110ページで詳しく説明します）を作る動きを確認しましょう。

①左右の両かかとをくっつけ、つま先を軽く広げ、前を向いて立ちます。
②足の指を5本とも、じゃんけんのパーのように広げて反らせて床から上げます（足の指の付け根は床につけたまま）。足の指は曲げてはいけません。伸ばしたままですよ。
③②のとき、足の親指と小指を広げることを特に意識しながら両脚のかかとから太ももの付け根までをすき間がなくなるように外側から締めます（内股にならないよう注意）。

ふくらはぎや太もも裏、お尻に力が入っていることを意識し、足裏の土踏まずや足裏のアーチ全体が上がっているのを確認しましょう。首が前に倒れていると体の後ろ側に力は入りません。前を見て頭を起こしてください。

④ふくらはぎ、太もも裏、お尻に入れた力を抜かず、足裏のアーチを上げたまま足の指を静かに下ろします。

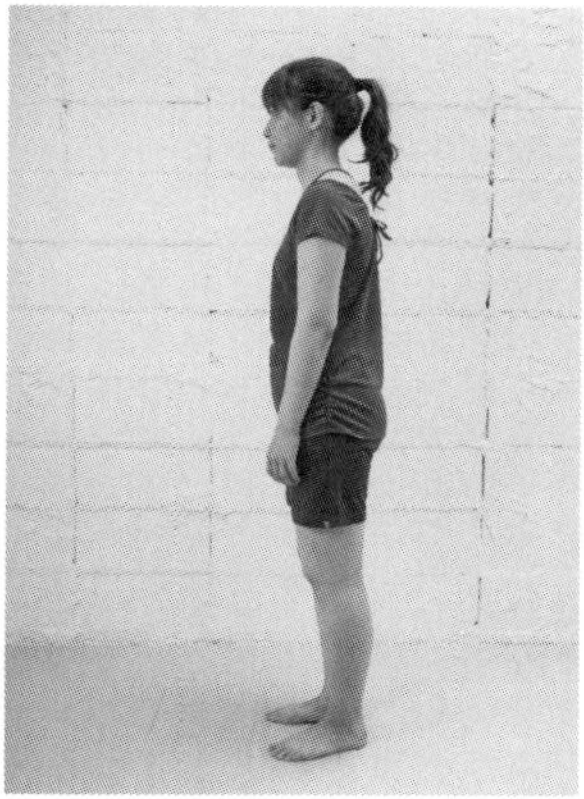

①前を向いて立つ。

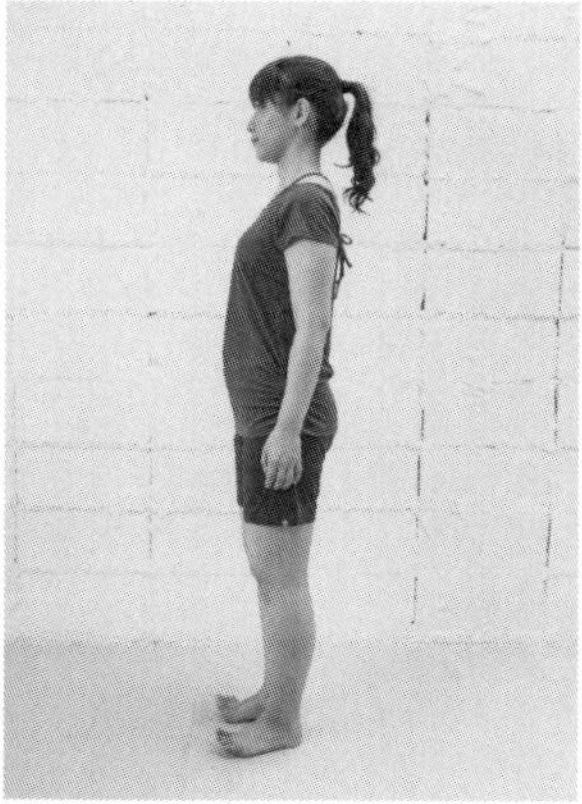

②足の指を開いてから反らせ、床から上げる（指の付け根は床につけたまま）。このときに足裏のアーチ（土踏まず）が高く上がる。

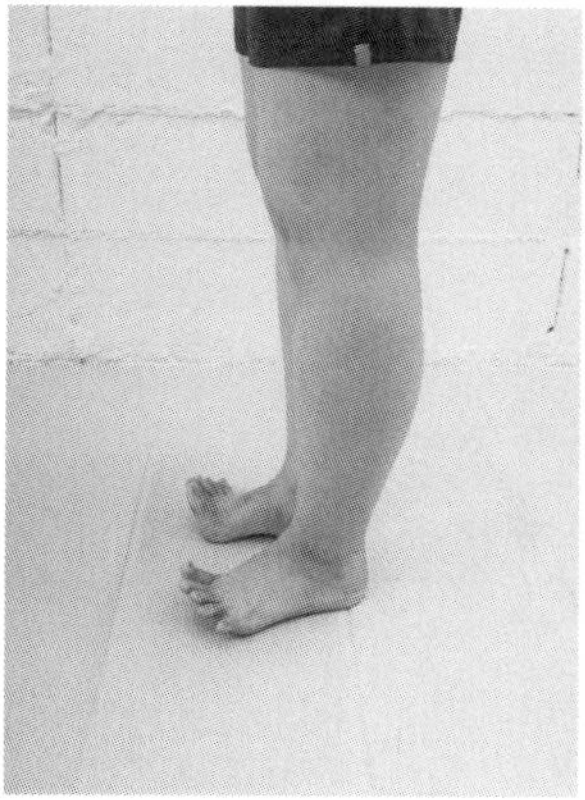

③足の親指、小指を広げるようにしながら、足の指を反らせる。

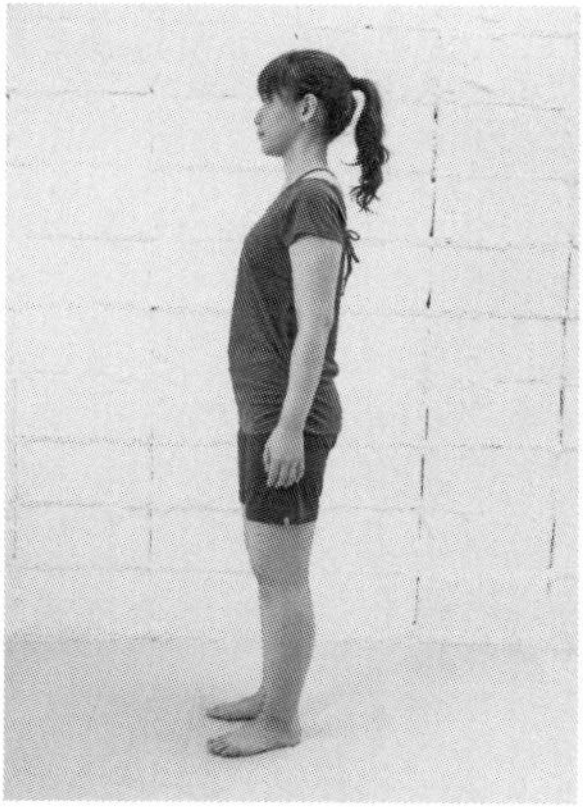

④足裏のアーチを上げたまま、足の指を静かに下ろす。右ページ①の写真との違いに注目。

ひざが痛い原因はひざに体の重みが集中して乗っかってしまうからです。前かがみの姿勢（O脚に多い）や、ひざを曲げがちな姿勢（ガニ股に多い）は、わざわざひざに負担がかかる動き方をしているのです。体の後ろ側（ふくらはぎ、太もも裏、お尻）に力が入ると、ひざへの負担が大幅に減ります。

では実践編に入ります。

足の5本指を上げたまま立ったり座ったりする練習

いすから立ち上がる・いすに座る

いすなどに座った状態から足の指を5本と

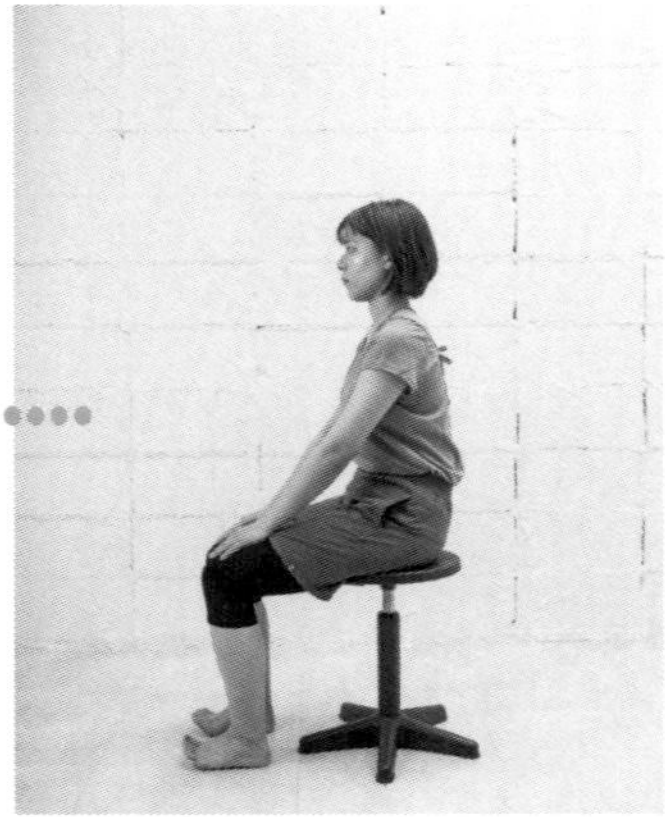

①足の指を反らせる。

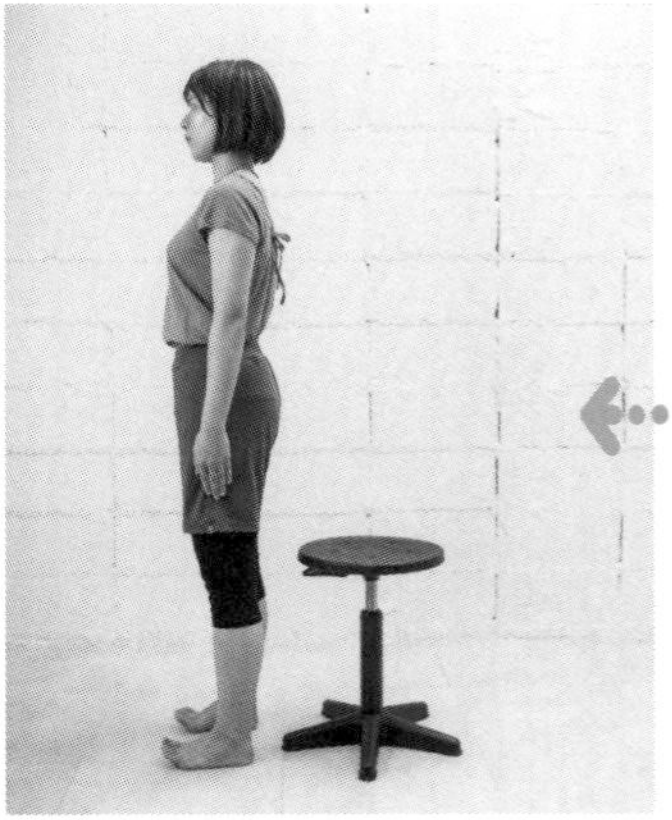

②かかとからふくらはぎ、太もも裏、お尻の力で立ち上がる。

も上げたまま立ち上がってください（右下の①と②）。どうですか？　今までよりもひざが痛くないはずです。なぜなら、体の後ろ側の筋肉を使って立ち上がっているため、ひざへの負担が減っているから痛くないのです。神経回路も後ろ側が活発になっているせいで痛みを感じないのかもしれませんね。

かかとで地面を押すような感覚で立ち上がってみましょう。太もも裏（ハムストリング）やお尻の力で立ち上がる感覚がわかるはずです。より鍛えたい場合は、両かかとを互いに強くくっつけるような力も加えてみてください。より力が入ります。

では逆の動きです。座ってみましょう（下

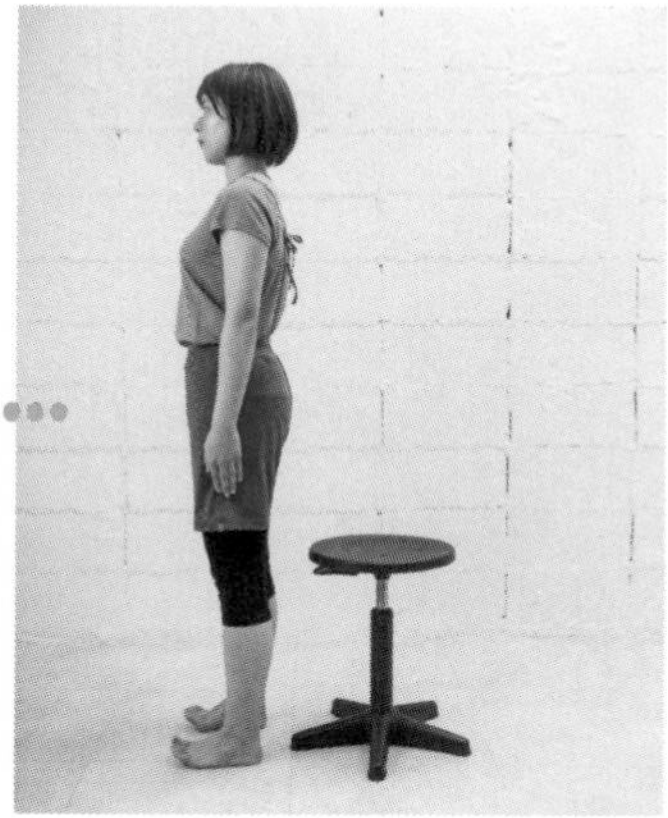

①座り始める前に足の指を上げる。

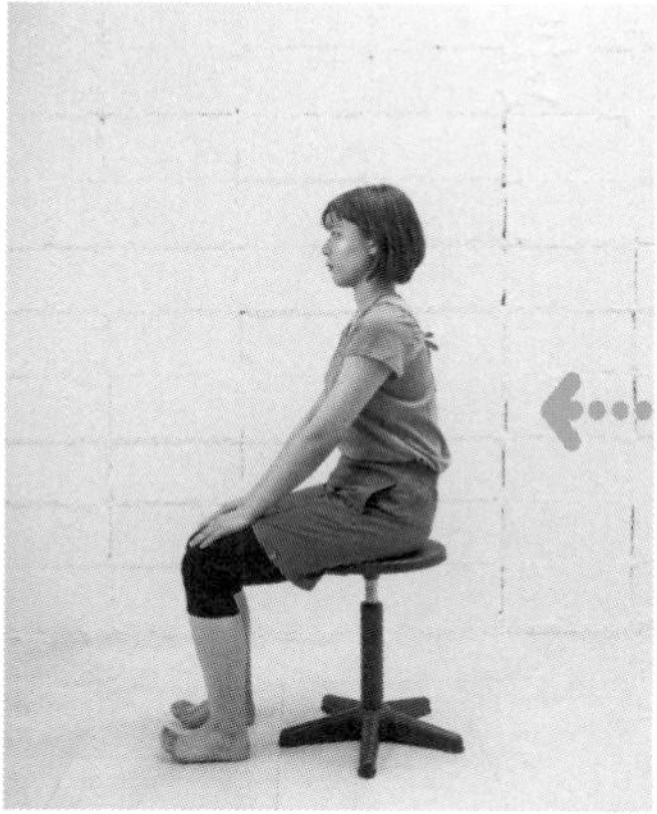

②体の後ろ側の力で座ることができる。

の①と②)。同じく足の指を5本とも上げたままかかとに重心を乗せたままゆっくり座ります。何かにつかまって行ってかまいません。どうですか?安定して座れたのではないでしょうか?

低いいすから立ち上がる・低いいすに座る

低いいすなどに座った状態から、足の指を5本とも上げたまま立ち上がります(下の①と②)。普通の高さのいすよりも、ひざ痛にとってはハードルの高い動きですね。しかしお風呂場のいすなど、日常生活でもよくある場面です。

ひざを少し開いた状態から行うとヒップア

①低いいすの場合でも足の指を広げ、ひざを少し開くと安定感が出る。

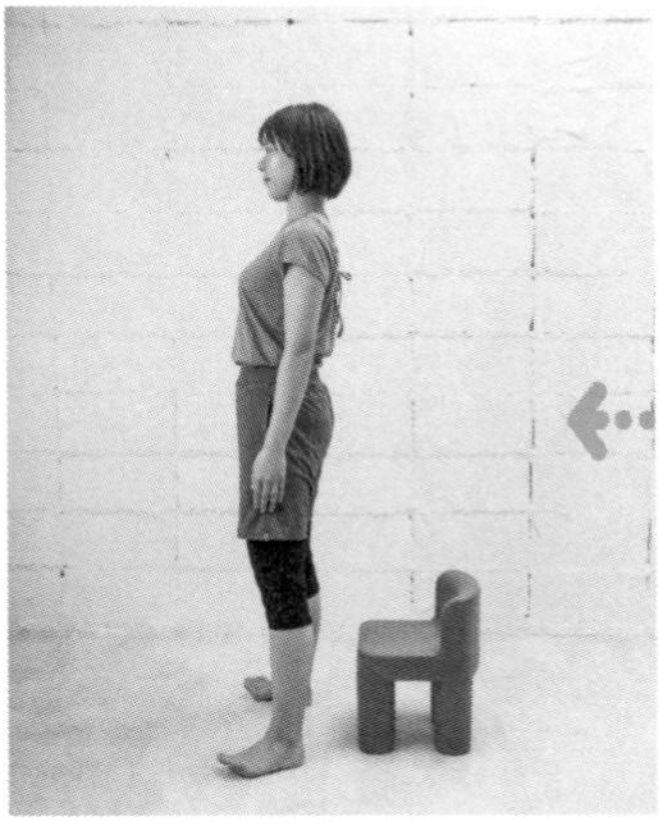

②かかと、ふくらはぎ、太もも裏、お尻の力を意識して立ち上がる。

ップにも効果的で、安定して行えます。何かにつかまってやってもかまいません。目的はひざに負担をかけない動き方を知ることですので、できる範囲でやっていきましょう。【鉄則】を思い出し、骨盤前傾タイプはお尻を下げて、骨盤後傾タイプはお尻を少し上げてやってみましょう。

では逆の動きです。低いいすに座ってみましょう。ひざを少し開き、体の後ろ側に力が入るように足の指5本とも上げてからゆっくりお尻を下げていきますが、普通の高さのいすに比べると難易度が高いので、何かにつかまって行うようにしましょう。低ければ低いほどトレーニング自体は高度になります。床から立つ運動は【動き方4】で説明します。

これが**自動的に体の後ろ側に力が入る方法**です。ここでの「縮め伸ばし」は足裏です。足裏にかかることで力が入り、足の指を上げることで足裏は伸ばされています。足の指を広げるとさらに効果が上がります。軽いひざ痛であれば、これだけで早期に治る可能性が高いと思います。

正座ができないくらいの腫れがあったり、水が溜まっている場合でもゆっくり動かしながらやってみてください。動かさないでいると、どんどん筋肉組織が固くなっていってしまいます。

実は、いくら足の指を上げてもふくらはぎや太もも裏、お尻に力の入らない人がいます。それはひざの過伸展が原因です。

ひざが変形してしまわないうちに体の後ろ側の筋肉を作る

ひざが過伸展しているひざ痛も、ひざが曲がっているひざ痛も、どちらもひざに負担がかかる動きの積み重ねで起きた痛みです。**ひざに負担がかからないようにし、ひざの動きを助けてあげるには、ひざの反対側にある体の後ろ側の筋肉が目覚めてくれればいいだけなのです。**

足の指を上げるだけで自動的に体の後ろ側に力が入るなんて、なんとも楽な方法だと思いませんか？　けっこう劇的に痛みのレベルが下がります。ほかの運動をするときもこの点にさえ気をつけていれば、いつも体の後ろ側を使うことができるのです。

私たちの日常の動作はほとんど前かがみ

普通の高さのいすや、低いいすから「立ち上がる・座る」動きを実際にやってみるとわかるのですが、土踏まずを含め、足裏のアーチ全体が上がる感覚があると思います。真剣に足もとを見てしまって首が前に倒れていると、頭の重さは６～８キログラム（２リットルのペットボトル約４本分！）ありますから、重心が前に移ってしまい、体の後ろ側を感じることができません。首を起こし、まっすぐ前を見てやってみてください。

私たちの日常のほとんどの動作は前かがみです。デスクワークも家事労働も前かがみだらけです。パソコンやスマホで首を前に倒している時間が多い人ほど、それが当たり前になってしまい、知らず知らずのうちにその状態でバランスをとる筋肉の使い方になっています。

ですから、重い頭を正しい位置にもってきて、足の指を上げてみるだけで、普段は意識しない筋肉を使わなければならないことがわかるはずです。多くの場合、それはふくらはぎ、太もも裏（ハムストリング）、お尻です。

O脚は足の薬指と小指に力が入らない

足の親指と小指（特に小指）を広げたまま、かかととかかとをくっつける方向への力も加えて「いすから立ち上がる・座る」を行うと、より強度の高いトレーニングになります。なぜなら小指を広げたほうが、かかとをくっつけ合う力が増し、**股関節を内転させる力**を作ることになるからです。

ひざ痛持ちの中でもO脚は、特に薬指と小指で地面を押さえつける力が足りないのです。そして太ももをくっつけ合う力も足りません。

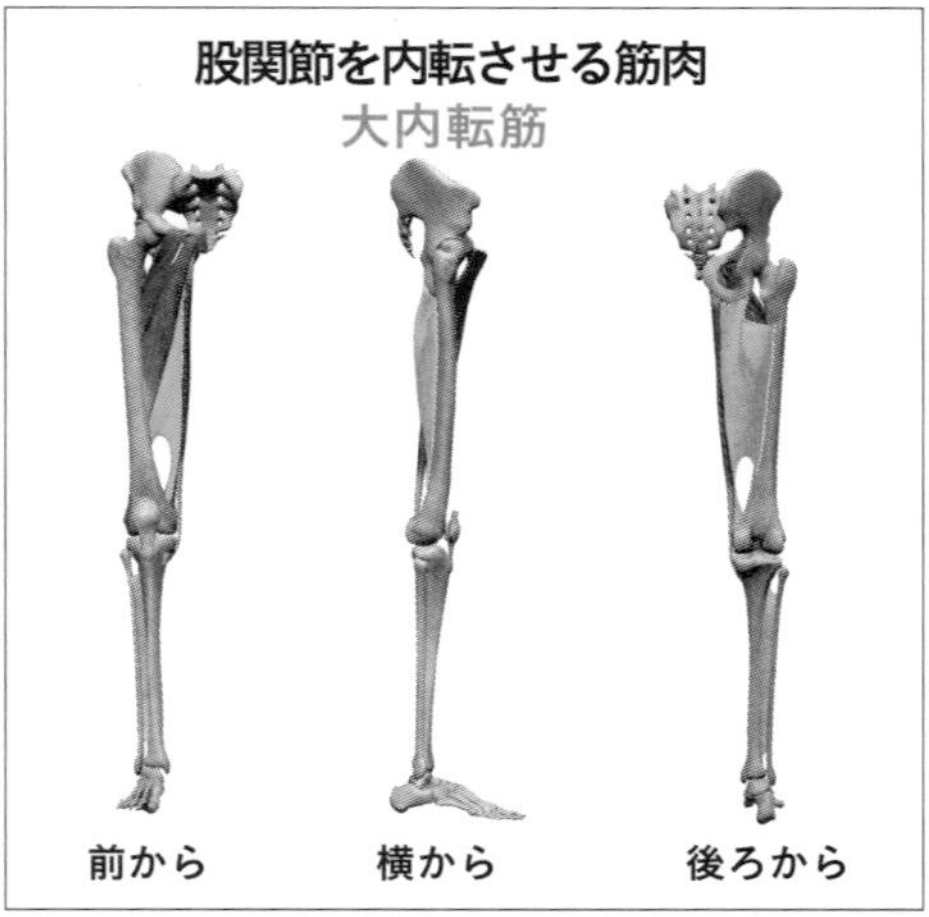

かかととかかとをくっつけあう力（内転）は、小指を外に広げて行うと、より力が入る。

後述しますが、３本ある足裏のアーチの中で外側縦アーチがなくなる人に多い症状で「Ｏ脚」が挙げられていることからも納得できます（薬指と小指を曲げて丸めてしまうとアーチは作れません。Ｏ脚に多い足の指の使い方です）。

さらにそれが「ひざ痛」の原因であるということにも注目していただきたいのです。使ってこなかった筋肉は退化し、神経回路も減っているのですから、何度も何度もやってみることで、失われた神経回路を復活させましょう。動くたびにひざは痛みますが、今までよりも安定して、いすから立ったり座ったりすることができるので、筋肉トレーニングになるのです。

正しいスクワット

いすから立ったり、座ったり、床から立ち上がったりするときに足の指を上げて踏ん張ると、体の後ろ側（ふくらはぎ、太もも裏、お尻）に自動的に力が入りますが、この動き、何かに似ていますね。そう、スクワットです。

実はこれが正しいスクワットのやり方なのです。スクワットは足腰を鍛えるのにとても有効な運動です。スクワットで腰を下ろしたときに、つま先よりひざが前に出ないようにするのは、ひざに重心がかかってひざを痛めることを防ぐためです。

太ももの前ばかりがパンプアップ（筋肉の膨張）するのは間違ったスクワットです。本来のスクワットは太もも裏、お尻に力が入らなければいけません。

ここを間違っているからトレーニングで太もも前がムキムキになってしまうのです（ムキムキにするためにやっている場合は別です）。

足の指を上げるだけでしっかり体の後ろ側に効いてくるので、スクワットを行う際にもぜひ取り入れてほしいと思います。

お尻を上げすぎるのも下げすぎるのもダメ。スクワットは骨盤前傾の人が多い外国から輸入されたトレーニング方法と認識しておこう。

「足のバンダ」とは

この**「自動的に体の後ろ側に力が入る方法」**は、ヨガでは**「足のバンダ」**と呼ばれるものです。「バンダ」とはサンスクリット語で「閉じ込める」もしくは「縛る」を意味します。パンツのゴムのようなものですね。

ヨガにおいて重要視されているのは次の３つのバンダです。のど（ジャーランダラバンダ）、腹部（ウディヤナバンダ）、肛門（ムーラバンダ）の３つです。

これらを引き締めることにより体の軸を安定させます。この引き締める力＝バンダを軸とし、数あるヨガのアーサナ（体位）を作ることで、「丹田《たんでん》」、「インナーマッスル」、「コアマッスル」といった体幹を作る深層筋を鍛えていくのです。

あまり知られていませんが、バンダにはこの３つのほかに、手（ハスタバンダ）と足（パダバンダ）のバンダもあります。パダバンダは足のアーチ（110ページで詳しく解説します）を強化し、下半身全体の筋肉を引き締めて調子を整えます。

私が取り入れたのは、まさしくこの「足のバンダ」です。

足の指の付け根はしっかり床につけたまま、足の指だけを反らせて広げるように上げると足裏のアーチは高くなります。

このときにふくらはぎ、太もも裏、お尻などに力が入っていることを確認してください。その力と足裏のアーチの高さを維持したまま、そっと足の指を下ろします。わかりにくければ足の指は上げたままにしてみます。

そうすると足首全体を締めることができ、体幹を安定させることができるのです。

足の指を反らせると足裏のアーチが上がる

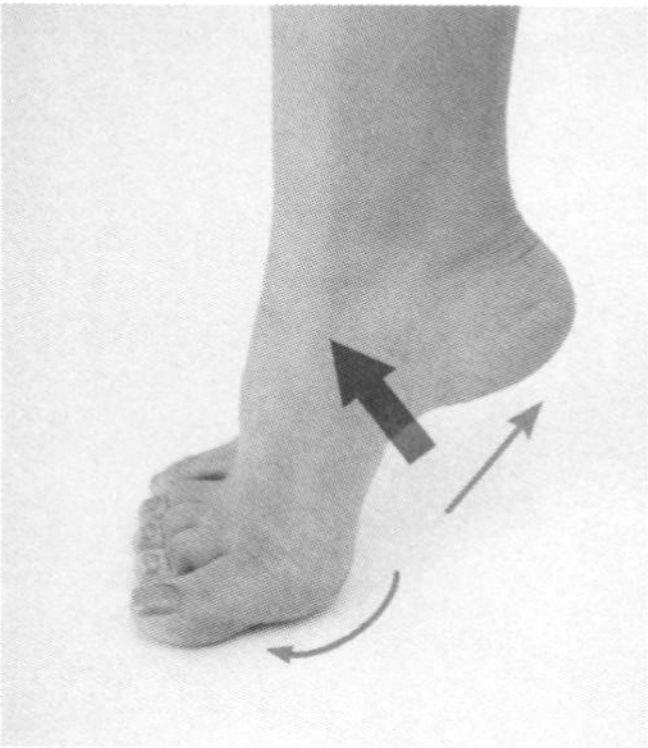
つま先立ちになると足底腱膜が引っ張られ、内側アーチを高くする。

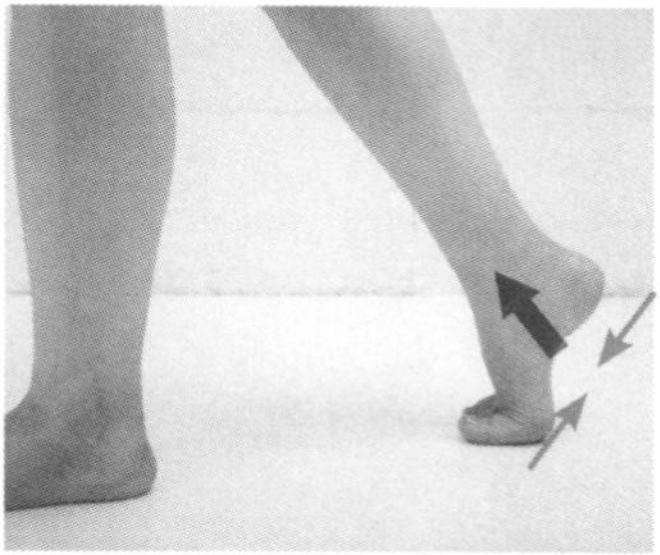
踏み切るときはウィンドラス機構により、足底腱膜の前足部の張力は後足部に移動し、後足部を前足部に引きつける。

ことは、西洋医学でも解剖学的に解明されています。それが**「ウィンドラスメカニズム」（ウィンドラス機構）**というものです。

ウィンドラスメカニズムとは？

つま先が上がることによって足の指についている筋肉が引っ張られ、足底腱膜が巻き上げられ、足裏のアーチ（土踏まずを含む）が一番高くなるというのは足の自然な動きです。

足の指を上げることによって足裏のアーチが上がる……ということは、「つま先立ち」になっているときも当然アーチは上がることになります。踏みきる（蹴る）という動きでも土踏まずは上がります。ただし、指が曲がっていないことが前提条件になります。

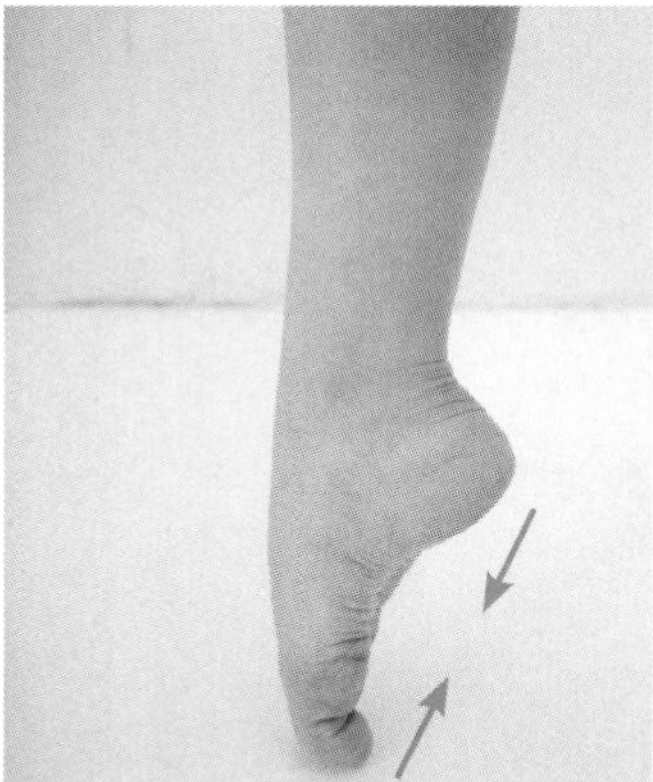

ポワント。アキレス腱は縮めながら引き伸ばされる感覚、かかとと前足部で「つかむ」感覚。

バレエダンサーがトゥシューズを履いて、つま先で立つ姿勢を「ポワント」といいます。指を反らせてはいませんが、ポワントでも足裏の筋肉が非常によく使われ、土踏まずが高く上がっているのがわかります。

足裏のアーチが大切です

「足裏のアーチ」と何度も書いてきましたが、ここでしっかり説明します。

足裏のアーチは3本あります。

●足の親指の付け根（母指球《ぼしきゅう》）からかかとまでの

内側縦アーチ

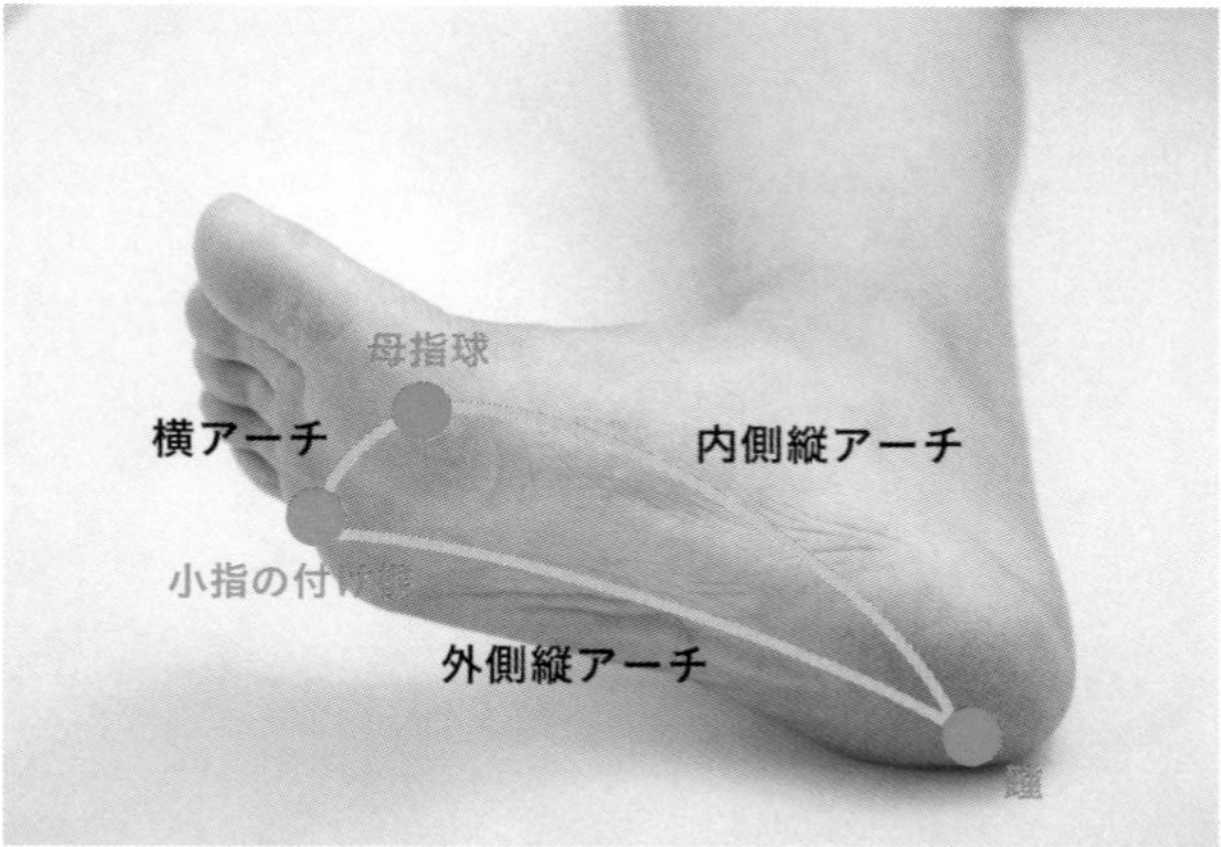

足裏のアーチは、内側縦アーチ、外側縦アーチ、横アーチの3本。

●足の小指の付け根からかかとまでの

外側縦アーチ

●足の親指の付け根から小指の付け根までの

横アーチ

この3本のアーチでテントのようなアーチ（弓形）構造を作り、上からの重みと下からの床反力（床からの力）を支えています。アーチは足にある骨で形成されており、足の靭帯と腱で強化されています。

では、いったい何のためにアーチはあるのでしょう？

足裏のアーチは何のためにあるのか

人間の体全体には約２０８個の骨があるといわれていますが、実は足だけでその4分の1を占めます。足は趾骨（足指の骨のこと・基節骨・中節骨・末節骨）が14

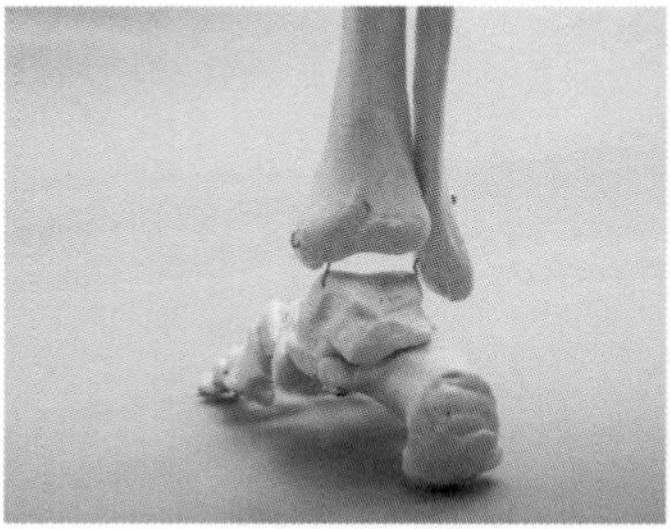

体重がかかると必然的に土踏まずが内側に落ち込みやすい。

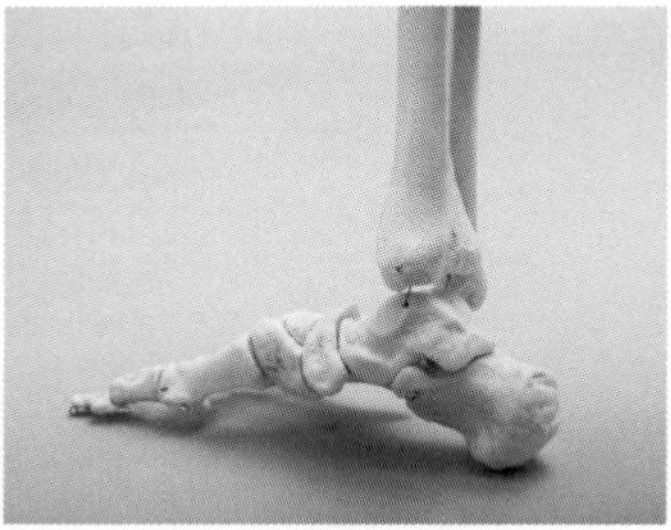

精緻な足の骨の構造。まさに「最高の芸術作品」。

本、中足骨が5本、足根骨が7個、これに種子骨（小さい骨）2個を加えて片足28個・両足で56個の骨で構成されています。

それほど足は人体の中でも重要なパーツだということです。体の表面積のうちの約2％ほどの両足裏だけで全体重を支えているわけですから、これらのたくさんの骨が靭帯や関節包で何層にもわたってガッチリとつながれて足裏を強化しているのです。

レオナルド・ダ・ヴィンチが人間の足について、「足は人間工学上、最大の傑作であり、そしてまた最高の芸術作品である」と述べたことは有名です。足裏のアーチは、体重を支えるうえで最良の形であることに加えて、美しさまで備わっているというわけです。

では、足裏は何のためにアーチになっているのでしょう？

歩行で足にかかる重さは床からの反発力「床反力」が加わるので、体重の1・2倍になります。体重60キロの人だと一歩ごとに72キロの重さが足にかかるという計算です。「走る」となれば、それが約3倍に、「ジャンプ」をすると約6倍になるというのです。

この重さからくる衝撃をまともにくらわないように、３本のアーチがあるのです。弓のようにびよ～んびよ～んとしなって、床からの衝撃を緩和してくれているわけです。

さらに衝撃を緩和するだけでなく、体を前後左右、あらゆる方向に運ぶための推進力にもなっています。だから勢いよく進むには、足裏のアーチの「ばね」が必要になります。

ところがこのばねを使う、「つま先立ちになる」「ジャンプする」「蹴る」といった動きが私たちの普段の生活ではあまり行われていません。

●甲をしっかり上げるほどのつま先立ちをしていますか？
●高くジャンプしていますか？
●しっかり蹴れていますか？

何もしていないと足裏の筋力は退化して、アーチが落ちてしまいます。３本のアーチ、それぞれの退化で特徴的な症状が考えられますが、混合している場合がほとんどなので、ひざ痛を改善するにはこの３本のアーチを意識的に鍛えていく必要があります。

●内側縦アーチがなくなる人

O脚・扁平足・むくみ・冷え・肩こり・血行不良・不調・不妊など

●外側縦アーチがなくなる人

O脚・ひざ痛・腰痛・股関節痛など

●横アーチがなくなる人

開帳足・外反母趾・内反小趾・角質が固くなる・たこ・うおのめなど

このような症状が出始めると歩行にもクセが出て、足の右と左も形が変わってきます。そうなるといつしか骨盤を含む、体全体へのゆがみへとつながることも容易に考えられます。特にO脚は、内側、外側、果ては横アーチまでなくなる傾向にあるので要注意です。

足のバンダのところで、

「足首全体を締めることができ、体幹を安定させることができるのです」

と書きましたが、足裏アーチの大切さがおわかりいただけたでしょうか。

足首を細くしたい人にとっても足裏アーチを作ることは非常に重要です。しっかりアーチを取り戻して、ひざ痛を発症しない体を取り戻しましょう。

足のバンダで足首を安定させる

足のバンダで足首が安定すると、足首が内側に倒れたり、外側に倒れたりしなくなり、次のような足の形になることを防ぐことができます。

● **外反足**＝いわゆる扁平足。足首が内側に倒れ（外がえし）、内側縦アーチ（土踏まず）が低くなる。O脚に多い。
● **内反足**＝いわゆるハイアーチ。足首が外側に倒れ（内がえし）、内側縦アーチが高くなる。X脚に多い。

しかし、X脚であっても年齢とともに開帳足《かいちょうそく》（足の横アーチが崩れ、足幅が広くなってしまっている状態）になり、土踏まずも落ちてくる場合がほとんどです。そこに外反母趾やハンマートゥなどの症状が入ってくると、より足裏の筋肉が使いにくくなっていきます。足首が安定していない外反足や内反足は、クセや習慣でも強くなるので、O脚やX脚の入り口とならないためにも意識すべきところです。

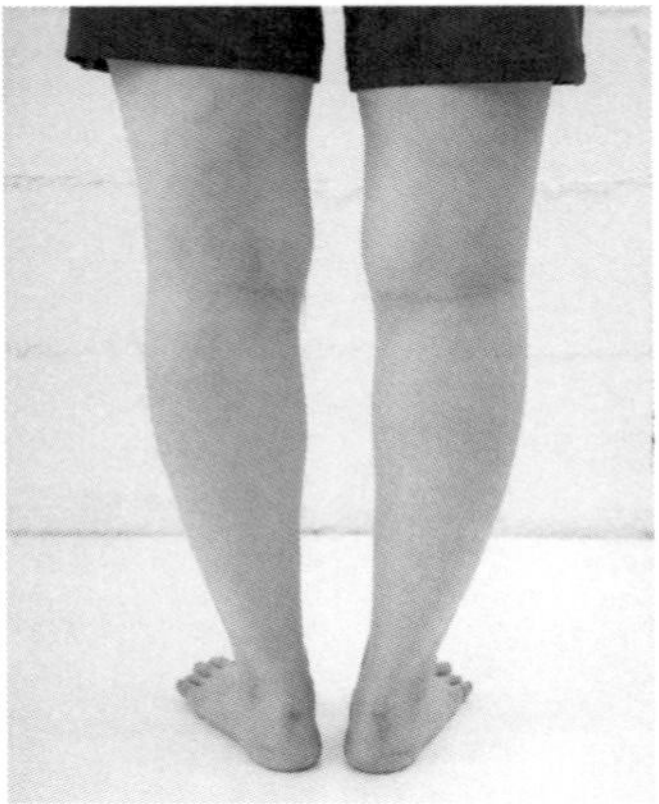

外反足でO脚。

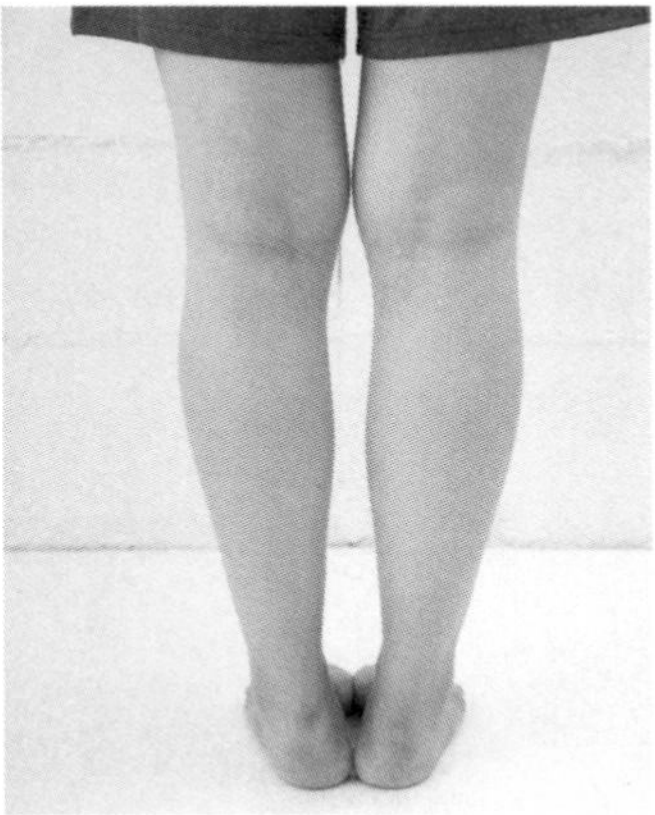

内反足でX脚。

コラム④

ひざ痛に効く食事

体は口から入るもので作られます

「汝の食事を薬とし、汝の薬は食事とせよ」
「病気は食事療法と運動によって治療できる」

これらの言葉はすべて、古代ギリシャ時代の医師ヒポクラテスのものです。食と運動による健康への道は、現代でもテレビや本、ネットなどがこぞって取り上げていますが、すでに2400年以上前にヒポクラテスがここまで断言しているのには驚きです。

食べ物を軽んじてはいけないことはわかっていても、あまりにも大量の情報が錯綜し、どれを信じていいのかわからないというのが現状です。

だからこそ体調の変化に気を配ることで自分の体質に気づき、食べ物の合う、合わないを自分で判断できることが大事なのではないでしょうか。ここでは「痛み」に効く食物の摂取の仕方を中医学の観点も交えてアドバイスしたいと思います。

体に優しい食事としてよく知られているものに、次の**「まごわやさしい」**があります。

ま＝豆類（大豆、枝豆、黒豆、あずき、納豆、豆腐、油揚げ、味噌など大豆加工品）
ご＝ごま、ナッツ類（ごま、くるみ、アーモンド、ピーナッツ、カシューナッツ、チアシードなど）
わ＝わかめ、海藻類（わかめ、のり、ひじき、昆布、もずくなど）
や＝野菜類（緑黄色野菜、淡色野菜）
さ＝魚類（白身魚、赤身魚）
し＝しいたけ、キノコ類（しいたけ、まいたけ、エリンギ、しめじ、マッシュルームなど）
い＝いも類（じゃがいも、さつまいも、里芋、大和いも、こんにゃく、キャッサバなど）

ひざ痛に必要なダイエット（体重減らし）に最適

「まごわやさしい」の内容を見て気づくことはありませんか？　肉類（牛・豚・鶏）と乳製品が含まれていません。脂肪の少ないものばかりです。魚を除けば、今話題になっている「ヴィーガン」の食事です。私もすごく興味があったので早速やってみることにしました。それぞれの効能を確認し、たんぱく質は植物性で摂取するようにします。主に大豆加工品です。鉄分不足にならないようにすべて多めに摂取して、野菜もたくさん食べているのに体重は減っていきます。何よりも食後の体が楽です。

　肉や乳製品をやみくもに敵視する気持ちはありませんが、過剰摂取は良くないということを肝に銘じ（ときどき調子に乗って食べすぎてしまうので）、ファストフードも「たまに」ということにしようと思いました。この「まごわやさしい」を、ファスティングを始める前の段階の食事法として採用しているところもあるようです。

ひざ痛に苦しむ人が病院で必ず言われる「体重を落としてください」。これは結構悩みますよね。

体重を落とすには口から入るものを工夫するほうが運動するよりも早く、効率的。数日で変化が出ますよ。

体を冷やす食べ物と甘味は「痛み」を引き起こす

以前、インドに行ったとき、現地のお菓子のあまりの甘さに歯が痛くなるほどだったのを覚えています。しばらく住んでいたことがあるタイのお菓子もとても甘かった。その頃は暑い国だから保存が利くように甘いのかと思っていましたが、それだけではないことが中医学を勉強してわかりました。

中医学の薬膳の考えでは食物の性質、気質を「寒」「涼」「温」「熱」「平」の5つに分けます。暑い国でとれる果物（バナナ、マンゴー、グレープフルーツ、キウイなど）は体を冷やす「寒性」です。日本で夏に食べるスイカ、ゴーヤも「寒」に含まれます。

「涼性」は「寒」よりも弱い作用ですが、暑い時季にやはり体の熱を冷ましたり、必要な水分を補って口の渇きを和らげます。豆腐、トウガン、キュウリ、ナス、麦茶、緑茶など。どれも暑い夏によく摂取するものですね。暑いからこそ冷やしてくれる食物は心地よいのですが、現代はエアコンが完備されているところがほとんどで、知らないうちに外からも中からも体を冷やしてしまっているのです。

消化器系の弱い人、呼吸器系の弱い人、生殖器系に問題がある人、頭痛、肩こり、膝痛、腰痛、神経痛などを持つ人は体を冷やしていることが原因の可能性があります（参考までに「温性」＝もち米、ニラ、鶏肉、牛肉など。「熱性」＝羊肉、胡椒、唐辛子、山椒など。「平性」＝豚肉、大豆、キャベツ、ニンジン、牛乳、卵など（※資料によって異なる場合があります）。

もうひとつ、食物は味覚でも5つに分けることができます。「酸味」「苦味」「甘味」「辛味」「鹹味《かんみ》（しょっぱい）」です。そしてその中でも「甘味」は摂りすぎると体を冷やします。ほどよい量であれば甘味は滋養があるうえに、緊張を緩和し、痛みをとる作用もあり、疲労回復にも役立つのですが、過剰摂取は逆に体を冷やし、痛みを誘発します。夏場は特に、栄養が摂れていない状態で甘味だけを欲しがちですが、そのことによって倦怠感が強くなります。甘味は穀類、果物、はちみつ、砂糖などです。

体に溜まった「水」を排出し、筋肉の動きも良くするカリウム

日本は島国です。まわりが海の水で囲まれていて湿度の高い土地です。そのため体の中の水分が外に出にくい傾向があります。「水分代謝」ができず、体内に「水」が過剰に溜まっている状態だと、湿度の高い梅雨時期は体調を崩しやすくなります。梅雨だけでなく、最近の夏は異常に暑く、湿度も高めです。

体に溜まった「水」が引き起こすのは「冷え」です。冷えにもタイプがあり、大きく分けると「四肢末端型」「下半身型」「内臓型」「全身型」ですが、「混合型」や「ほてり型」もあります。汗をかいて顔や上半身がほてるのに冷えているタイプというのは、ストレスや自律神経の乱れが主な原因です。すべてのタイプに共通する原因は運動不足なのですが、まず、体の中に溜まった「水」を排出してくれる栄養素、「カリウム」を意識してみましょう。

人体に必須の4大ミネラルのひとつであるカリウムは、体液のバランスや浸透圧の調整、神経刺激の伝達や筋肉の収縮に大きく関係しています。また、カリウムは腎臓でのナトリウムの再吸収を抑制して、尿中への排泄を促進するため、血圧を下げる効果があります。むくみ対策として、カリウムは有名ですが、それだけではないのですね。

そのカリウムを多く含む食品には、次のようなものがあります。

- 豆類＝納豆、大豆、あずき
- 海藻類＝わかめ、ひじき、のり

・野菜＝切り干し大根、ほうれん草、かぼちゃ
・魚類＝あじ、さわら、いわし
・いも類＝大和いも、里芋、さつまいも、じゃがいも
・果物＝アボカド、バナナ、メロン、干し柿

という具合に、野菜や果物、豆類などに多く含まれ、ほぼ「まごわやさしい」に当てはまるのです。体の中の余分な水分を排出させるためにカリウム摂取を意識すると、肌表面が潤って美肌も目指せ、一挙両得です。「痛み」と「冷え」は密接に関係するので食事内容も見直していきましょう。ただ、いくらカリウムが多く含まれるからといっても、果物を過剰に摂取するのは禁物です。南の島で採れる果物は「甘く」「体を冷やす」ものが多いからです。

運動前、運動後にたんぱく質と糖質を

体に栄養素が足りない空腹の状態で体を動かしてしまうと筋肉を傷つけやすくなります。私はそれでひざ痛を悪化させていったようなものです。

本来、筋肉の維持や修復に使われる栄養素が、運動するエネルギーとして使われてしまうため、運動後にいくらたんぱく質や糖を補給しても、傷つけすぎてしまっているので手遅れなのです。運動中の水分補給にあまり気を使っていなかったことも私の失敗でした。これが痛みや腫れ、水まで溜めた原因のひとつでもあります（そもそもの原因はO脚）。

意を決して自分で治そうと決心してから、運動の30分前には必ずたんぱく質や糖質（おにぎりなど）を摂るようにしました。タブレット状のサプリメントで済ますときもあります。やはりエネルギーのもちが違いますし、何といってもひざに痛みが出なくなりました。運動後も必ずたんぱく質と糖を摂取します。そのおかげでしょうか。運動した翌朝のひざも快適になっていきました。こうやって口から入るもので、体の中からも「痛み」は消せるのです。

【基本2】太ももを外に回す力を作る！

膝窩筋《しっかきん》を鍛える4つの方法

膝窩筋という筋肉の名前を聞いたことがありますか？　たくさんの方にこの筋肉について説明してきましたが、ほとんどの方が「それはなんですか？」という反応です。でも、とても重要な筋肉なのです。

足のバンダを行《おこな》ってもふくらはぎや太もも、お尻に力が入らない人がいます。それは32ページの写真のようにひざが過伸展している人です（ガニ股タイプは【動き方2】へ）。

第1章でも書きましたが、不良肢位で意外に多いのがひざ過伸展です。O脚でもX脚でも共通項としてひざ過伸展があります。

なぜひざが過伸展してしまうのかを調べていくうちに、「膝窩筋」という筋肉にぶつか

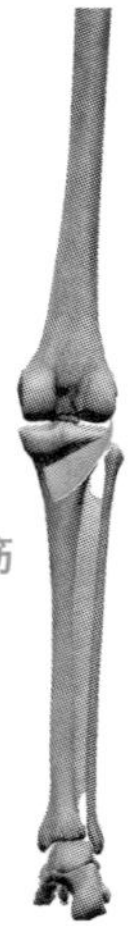

後ろから

ります。

この膝窩筋の筋力が低下するとO脚タイプのひざ過伸展になります。

この膝窩筋が短縮するとX脚タイプのひざ過伸展になります。

ひざの過伸展を防ぐには、この膝窩筋を鍛えるのが早道です。

ハムストリングやヒラメ筋の筋力弱化でもひざは過伸展します。このことは【動き方4】の「蹴る力をつける！」で説明します。


膝窩筋を鍛える一番の方法は「鉄棒にぶら下がってひざを曲げる」ことです。

でも近所に公園も、自宅にぶら下がり健康器もないし……。そういう方でも大丈夫です。この動作で生まれる正しい筋肉の動きを考えればいいのです。太ももを外側にふくらはぎを内側に回す力をつけるということなのです。太ももを外側に回すとふくらはぎは内側に回ります。言葉で書くと難しく感じますが、意外と簡単です。

かかとスライド

①足を前後に開いて立ちます。

②重心は後ろ脚に乗せたまま、前脚のつま先を軸に、ひざを伸ばしたままかかとを前方にスライドさせ（床をこするように）、できるだけ足が真横を向くように太ももの付け根を外側に回します。イチ、ニーのリズムです。

やりやすいようにと、ひざを曲げてかかとを踏み変えてはいけません。ひざを伸ばしたまま、太ももの付け根を回す力で足が真横になるようにします。

③かかとを元に戻し、10回ずつを目安に両足でやってみましょう。

かかとをスライドさせるときには、後ろ脚

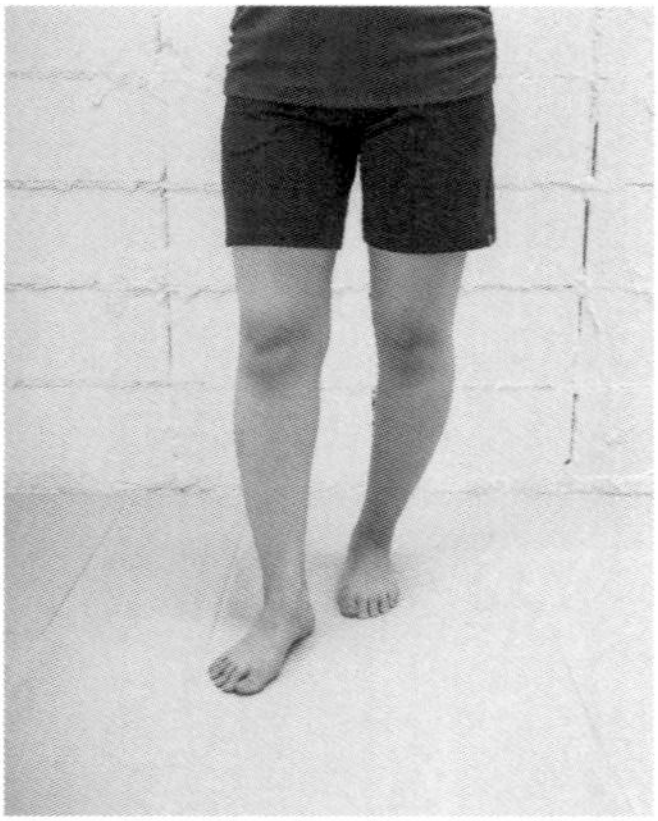

①足を前後させて、後ろ脚重心で立つ。

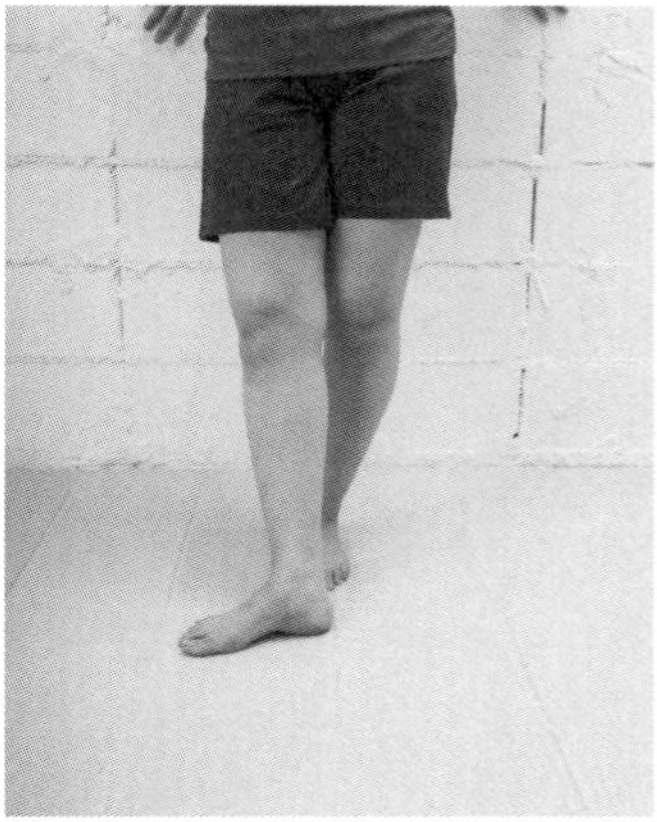

②前脚のひざを伸ばしたまま、つま先を軸にしてかかとをスライドさせつま先が真横を向くまで回す。

にもしっかり力を入れましょう。息を吐きながらスライドさせると力が入りやすいです。

【基本１】の「足の指を上げる」を意識して行うと、より効果的なトレーニングになります。

力が入るので、後ろ脚のひざの過伸展が気になってくると思いますが、太ももの付け根を外側に回すトレーニングなので、慣れてきたら後ろ脚は少しひざを曲げてもかまいません。太ももを外側に回すことを優先しましょう。スライドディスク（次ページ写真）や布などすべるものを前足のかかとの下に敷いておくと、よりスライドさせやすくなります。

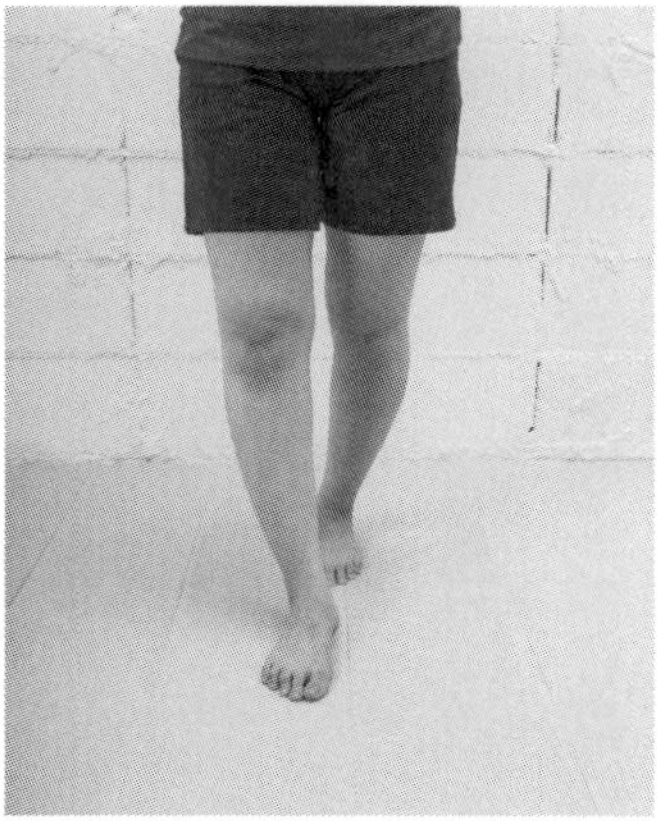

③かかとを元に戻す。後ろ脚も太ももを外に回すように力を入れておく。

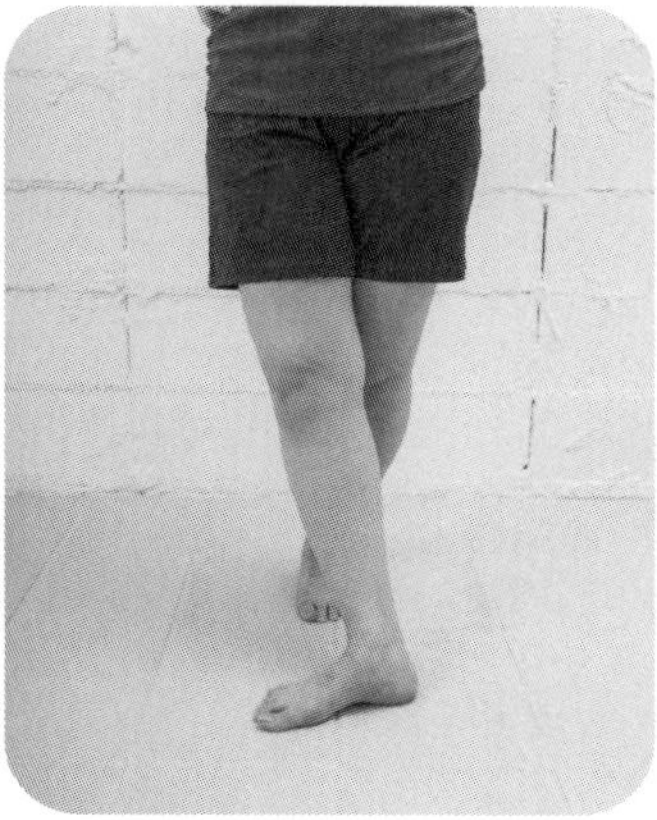

何度かやっていくうちに、モデルの脚が締まっていった。

第1章のO脚の説明で書いたように、O脚は内反膝で、大腿骨を内側に回すのは得意ですが、外側に回すのは苦手です。X脚はもともと股関節が外向きになっている場合が多いのですが、ひざ痛を起こすタイプはそもそも股関節が固いので、この運動でしっかり太ももを外側に回すようにしましょう。

何度か行うだけでも下の写真のようにO脚でも脚がまっすぐに、下半身全体も引き締まってきます。

そしてここでの「縮め伸ばし」は「かかと」です。かかとを床に押しつけるようにしながらふくらはぎの内側、かかとまでの筋を

かかとを床に押しつけながら足首付近を伸ばす「縮め伸ばし」。

市販されているスライドディスク。ネットでも購入できる。

伸ばすようにすることで運動効果が変わります。特に、立っているときは足が回内している（扁平足、O脚）のに、寝ているとき（重力がかかっていないとき）はかかとの骨が内側に倒れている……などという人はかかとの骨を安定させる筋力が低下しています。しっかり意識して「縮め伸ばし」を行い、筋力を強化しましょう。

そしてもうひとつ意識してほしい場所は、かかとから足の小指の付け根のライン、足裏のアーチでいうと外側縦アーチです。小指をしっかり広げてこのラインの「縮め伸ばし」を行うととても効果的です。

脚チャック

①かかとを軽くつけてつま先を少し広げ、ひざをつま先の向きに合わせ、軽くしゃがみます。太ももを外向きに回して、上体は起こしたままです。

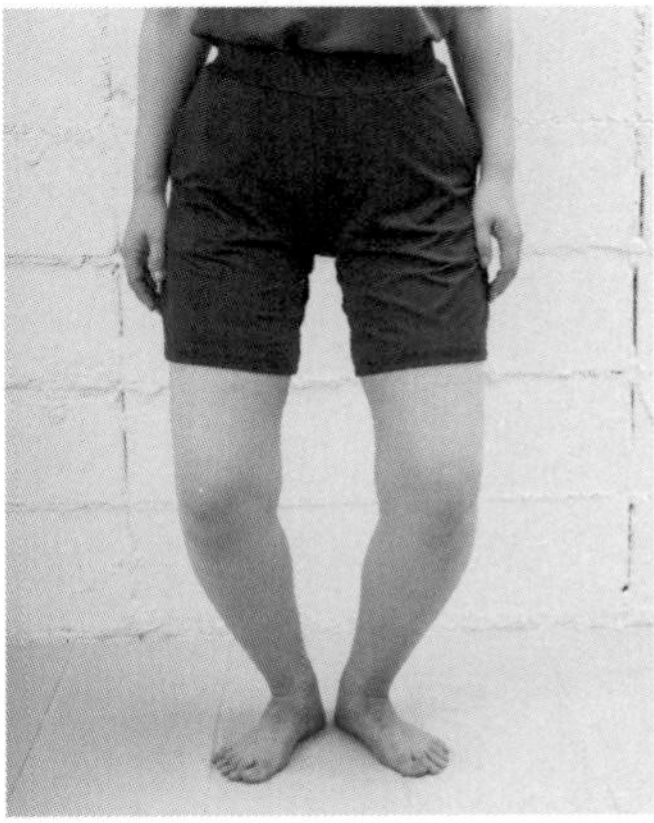

①つま先を少し広げ、ひざをつま先の向きに合わせ、軽くしゃがむ。頭は起こす。

②かかとからチャックを締めていくように、できるだけ太ももを外向きにする力を維持したまま、両脚のすき間がなくなるように内股に力を入れて脚を伸ばします。

この運動でも「かかと」を意識しましょう。足の親指の付け根を浮かさないで、小指を広げながらかかとをくっつけます。かかとの骨を立たせるような気持ちで引き締めます。かかとについてはこのあとの【基本3】で説明します。

ゆっくりとしたイチ、ニーのリズムで行います。この運動のときも【基本1】の「足のバンダ」で行うと、よりトレーニング効果があがります。1日に何度でもやってみましょう。

なぜ太ももを外向きに回すのかは「膝窩筋」の働きを知るとわかります。133ページ

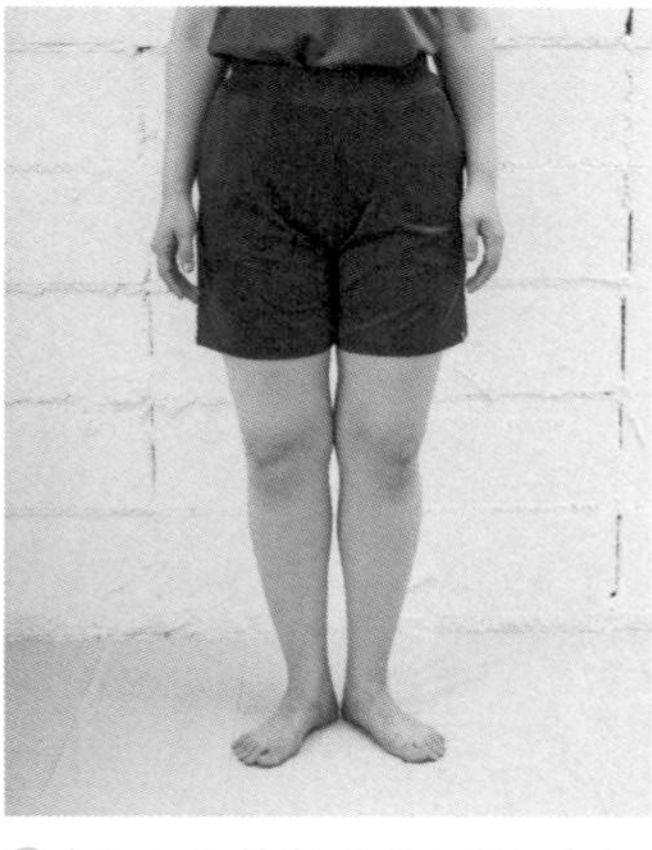

②太ももを外向きする力と内ももがくっつく力を入れて脚を伸ばす。

からのコラム⑤「膝窩筋についてさらに詳しく」を参照してください。

ひざ痛を引き起こすひざの過伸展を止めるには、この力がなければいけないと知ったときは感動しました。そしてプリッとしたお尻を作るにも、ハムストリングがちゃんと働く締まった太ももを作るのにも、この太ももの外旋力は不可欠なのです。

ポーズをとるだけの進まない匍《ほ》匐《ふく》前《ぜん》進《しん》

①床に腹ばいになり、片脚の股関節を曲げながら上げていきます。できるだけお腹をぺったり床につけたまま、太もも内側とふくらはぎを床につけながら、ひざを曲げて引き上げていきます。足首も曲げます。カエルの脚のようにしっかり股関節を開いてください。

②ゆっくりとひざを伸ばし、反対側も行います。

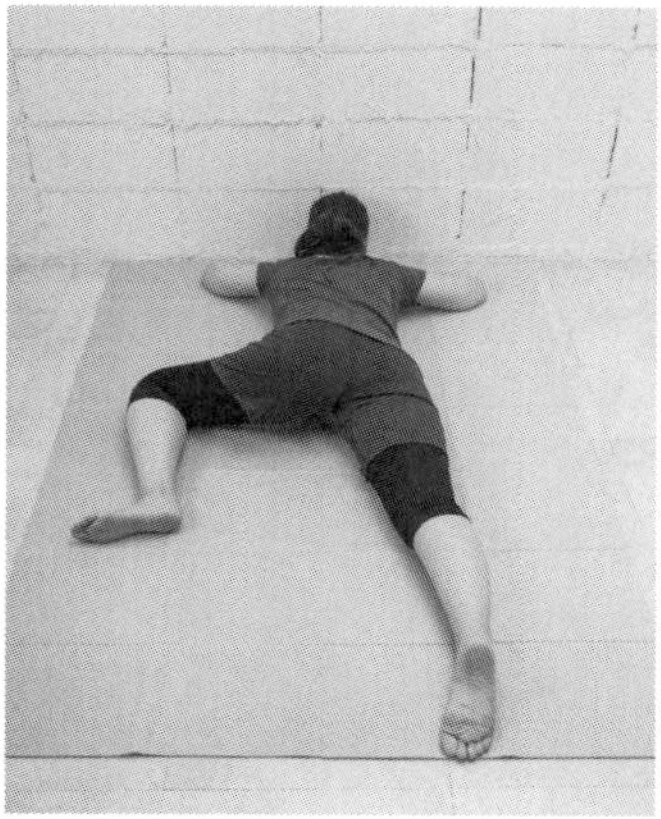

①床に腹ばいになり、脚を床につけたままひざを引き上げていく。上げた足首も曲げる。

少し上体を起こすとより股関節が開きますが、必ずお腹に力を入れ（凹ませ）て行ってください。お腹に力を入れないで行うと、腰が痛くなります。腰を反らせる運動のときは必ずお腹に力を入れるということを覚えましょう。

匍匐前進は最高の運動です。あらゆる全身の運動の要素が詰まっています。しかしなかなかできる場所がありません。下手にやるとひざを痛めてしまいますが、正しく行えば、静止状態でも股関節まわりやひざ関節まわり、足の指の親指からかかとのラインを「縮め伸ばし」することができるのです。体の重

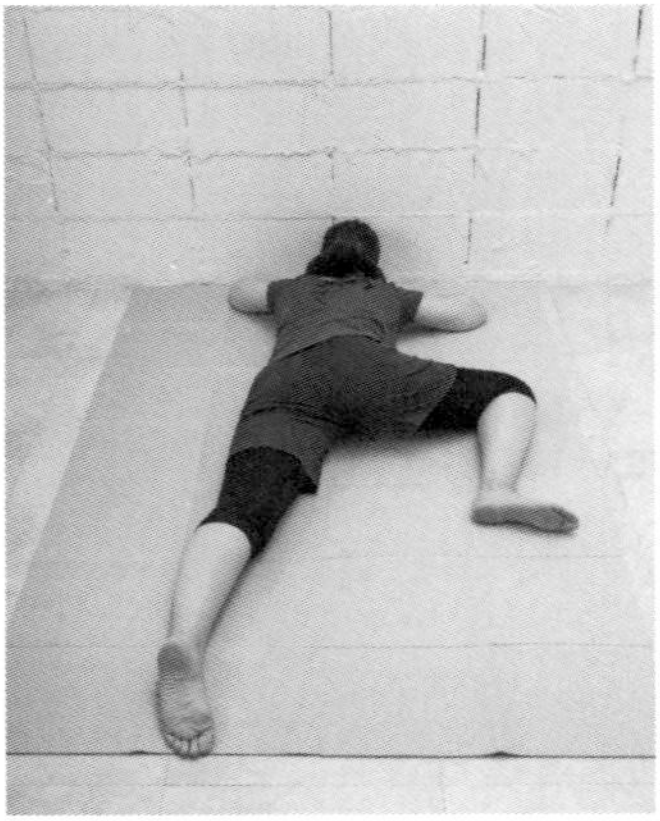

②反対側も同じようにやってみて、どちらが固いかを確認し、股関節を開けるようにする。

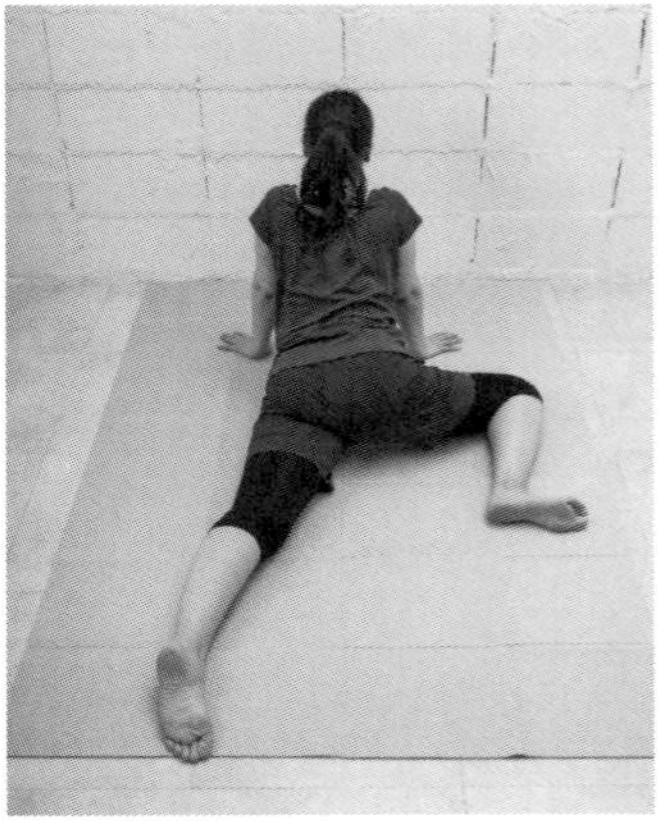

体を起こして行う場合も腰を反らさず、お腹に力を入れる。

みで力を入れながら伸びるように意識して、股関節を開いていきましょう。

私自身がひざが痛いとき、うつ伏せになりながら本当によく行っていた動きのひとつです（今でも予防のためにやっています）。筋肉を固まらせないようにゆるやかに、関節の可動域を広げます。

寝っころがってひざ伸ばし

①床に寝て、片脚のひざ、足首を曲げたまま股関節を開きます。

②１の位置からかかとを突きだすようにひざを伸ばしきります。伸ばすときにひざが外側を向くように気をつけます。腰は反らさない

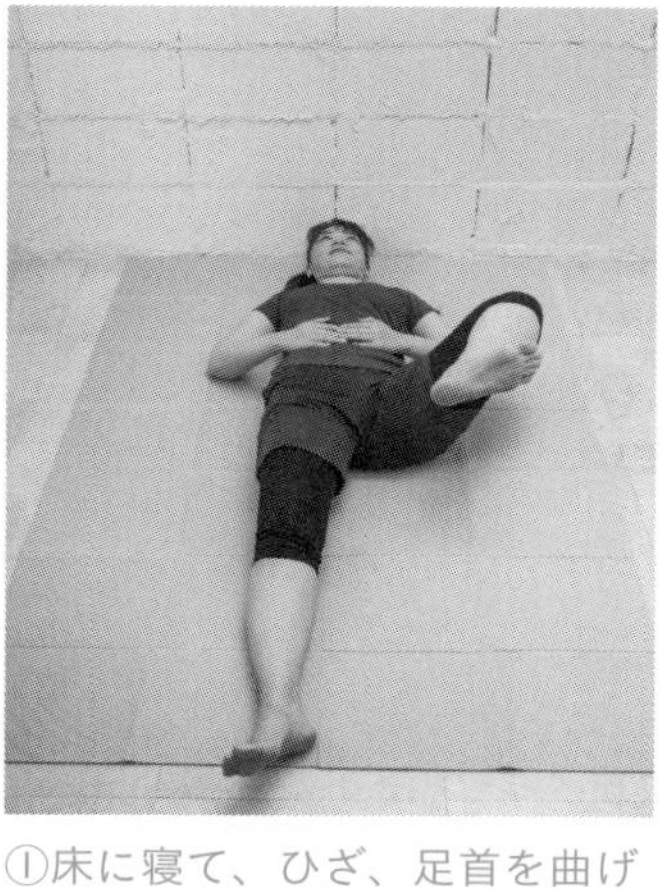

①床に寝て、ひざ、足首を曲げたまま片脚を上げて股関節を開く。

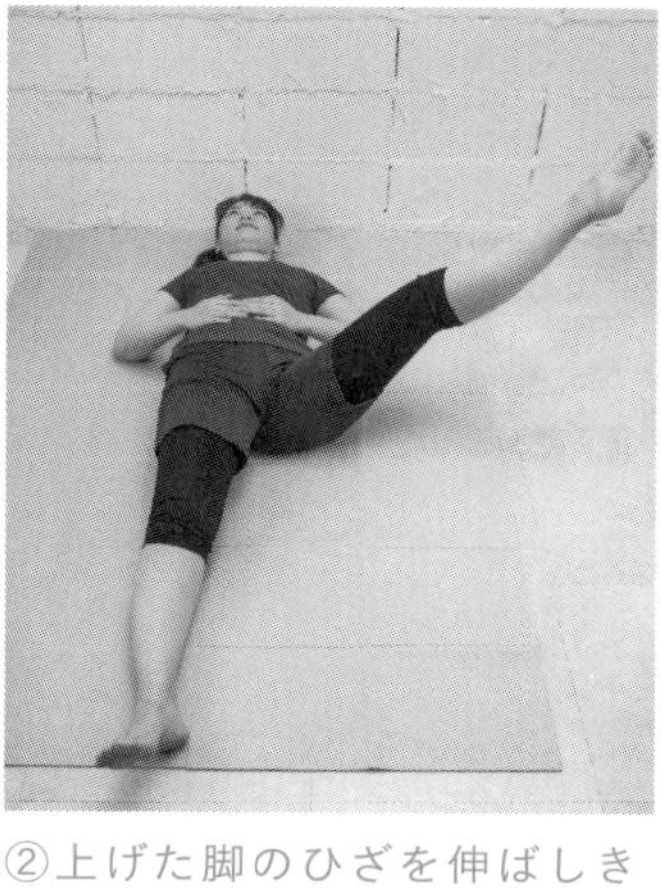

②上げた脚のひざを伸ばしきる。足首を曲げても甲を伸ばしてもOK。

ように床に背中をつけたまま行います。

体が柔らかければ、かかとを手で支えてそのままひざを伸ばしきることも可能です。チューブやタオルを足裏に引っかけ、手で引っ張りながらできるだけ高く脚を上げて筋力をつけましょう。ひざを外側に向けることを忘れないようにしましょう。

これも私が寝転がったときに必ずやっている運動です。ひざの伸展運動でもありますから、太もも前の筋肉を鍛えることにもなります。太ももが外旋し、ひざが必ず外側を向いてかかとをつき上げていることが大事です。

自分のできる角度でかまいません。壁に脚を上げてやるのもいいですね。安全にひざをしっかり伸ばしきることができますよ。背中が反らないようにお腹をしっかり凹ませていれば、腹筋運動にもなります。

コラム⑤

膝窩筋についてさらに詳しく

膝窩筋についてもう少し詳しくご説明します。

膝窩筋はひざにある関節の中で唯一の「単関節筋」

そもそもこの「膝窩筋」という筋肉はひざを曲げる（屈曲させる）筋肉であり、ひざを内側にねじる（内旋させる）筋肉です。この動きはどちらも主に太ももの裏側、それも内側の筋肉を使います。太ももの裏側の内側部分の筋肉を内側ハムストリング（半膜様筋と半腱様筋）と呼びますが、X脚の人が弱いところなのです。ちなみに外側ハムストリング（大腿二頭筋）が弱いのがO脚です。

話を元に戻して、ひざの屈曲、内旋に関わる筋肉のほとんどが「二関節筋」といって2つの異なる関節をまたぐ筋肉なのです。ひとつの関節にだけついている「単関節筋」は膝窩筋だけ。がっちりとひざの後方外側部の安定性を守ってくれているのが、この膝窩筋なのです。

だから、「膝窩筋の筋力が弱化するとひざは過伸展してしまう」わけなのです。病院ではよくひざを伸ばす（伸展させる）運動を勧められるのですが、O脚やX脚由来のひざ痛が多い中、ひざが過伸展している人にさらに伸展運動を勧めると、間違った運動をしかねません。悪化も考えられます。まずは、これ以上ひざを過伸展させない運動に注力すべきではないかと思うのです。

ひざを伸展させる運動は太ももの前側の筋肉を使います。太もも前側の筋肉が弱化して筋肉の伸び縮みが悪くなり、下がってくるとひざ関節を圧迫し痛くする……というのは定番の「ひざ痛説」です。たしかに、

老化を隠せないところといえば、「ひざ」のたるみも入っていますから納得できる説なのですが、これだけひざの過伸展に悩んでいる人が多いのですから、その方たちの今後のひざを救う意味でも股関節の伸展以外の運動方法を伝えねばなりません。

膝窩筋はどういう動きをしてくれているのか

膝窩筋は鉄棒にぶら下がっているような無重力状態のときは、ひざから下を内旋（ふくらはぎ全体を外側から内側へ回すような動き）します。

　では、足が床についているときはどのような動きをしているかというと、ひざから上の太ももを外側に回し、ひざを屈曲しようとしているのです（実際は屈曲していない）。

　ひざが過伸展している人は、この力が弱いのです。

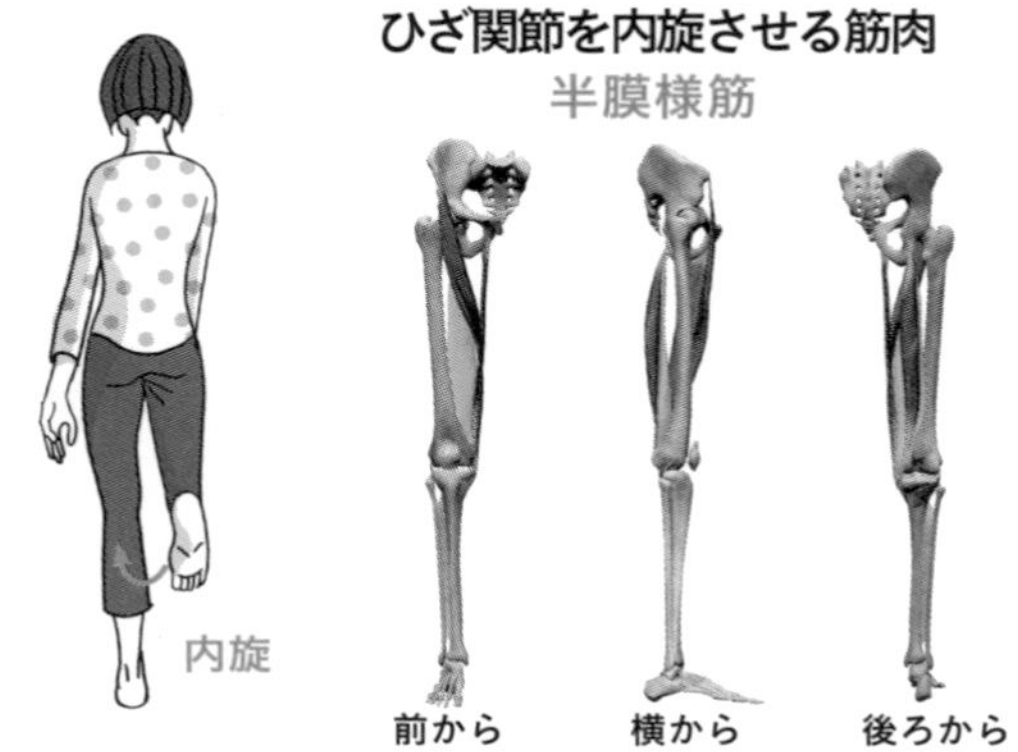

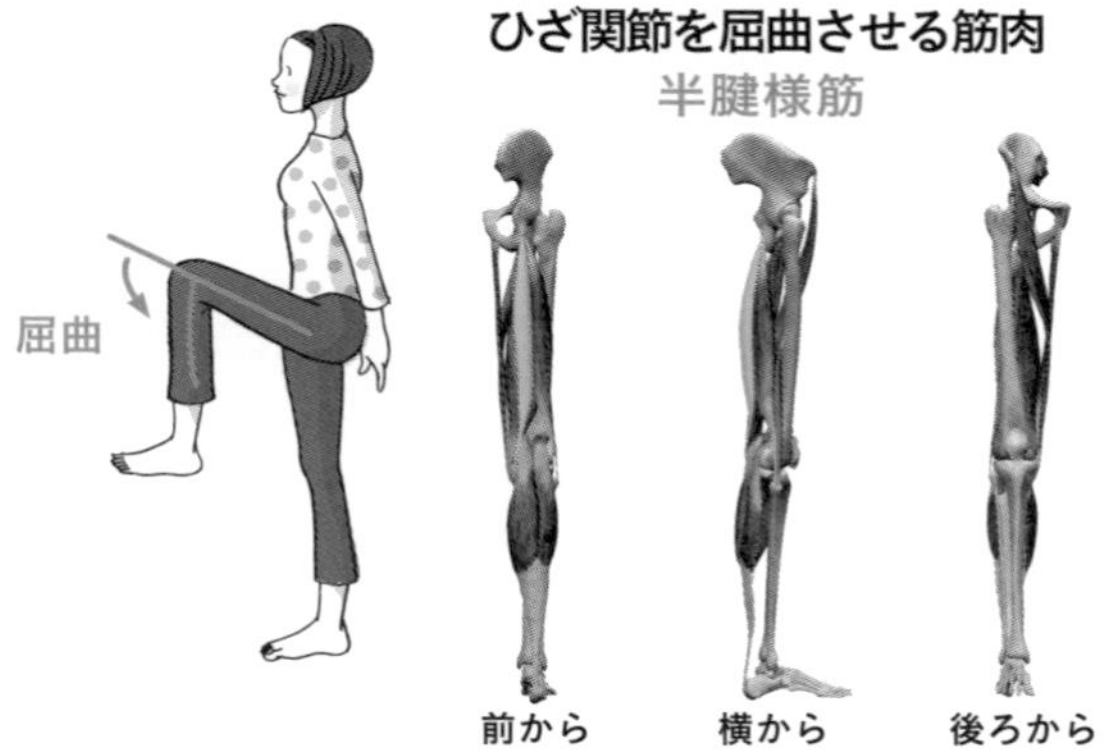

「ひざから上の太ももを外側に回す」ということは股関節を外旋させる力です。O脚はそもそも大腿骨が内旋しているのでこの動きは苦手です。X脚は大腿骨が外旋しているので動き自体は得意ですが、腹筋力も弱いので力が働かない。そして膝窩筋自体が短縮傾向にあるので、やはりうまく働いていません。

　人によって筋肉の使い方のクセがあり、ひざ過伸展は歩行の際にもカクンカクンとひざ裏を伸ばしきって歩いています。伸ばしきれないようにストップをかけてくれる膝窩筋を鍛えていくことがとても大事なのです。足を揃えて何気なく立っている時にも、ひざから上の太ももは、外側に回す力が働いているというのがデフォルトになるように。何度も太ももを外旋させて神経回路をよみがえらせましょう。O脚を改善するには必須の運動です。

ひざ裏内側にある「陰谷《いんこく》」というツボ

膝窩筋を研究していくうちに、「ここにあるツボはもしかして？」と予想していたら、素晴らしい効能を持つツボでした。ひざの冷え性、ひざ内側痛に効きます。その他に排尿障害、脱肛、婦人病、泌尿器・生殖器系の障害、インポテンツなどにも効果があります。

　日本では若い男性にも多いO脚です。脚をまっすぐに保てる筋力は、大切なところを担っているのではないでしょうか。運動能力も上がるし、のちのひざを考えるうえでも、男性たちにももっと脚の形について意識を向けてほしいと思っています。

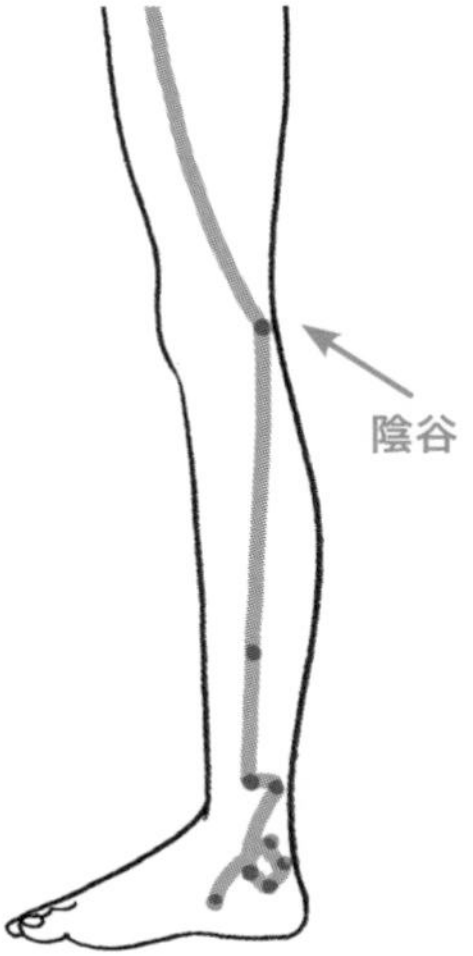

【基本3】かかとを立たせる力を作る！

かかとの骨を正しい位置にする

かかとの骨は、踵骨《しょうこつ》といいます。この踵骨がどんな形をしているのかというと、実は丸いのです。どんな地面にもローリングの動きで対応できるように丸くなっています。ということは、障害も起きやすいということになります。足裏には全体重がかかってくるのですから、何かの理由でバランスが崩れるとよほど意識しないと改善は難しくなります。

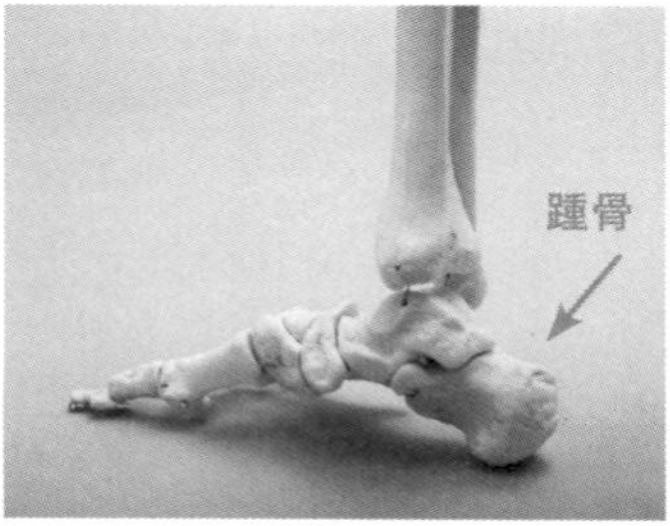

第1章や【基本1】で、足裏の筋肉が衰えて足裏のアーチが保てなくなると、扁平足になったり、ハイアーチになったりすることを説明しましたが、実はそれは骨の位置が正しいところにない、ということでもあります。

【基本2】の運動でいくら太ももを外に回そうとしても、土台となるかかとの骨を立ててやらないと、逆に扁平足やハイアーチを増長させてしまうので注意が必要です。

かかとを引くだけ

①床に寝ます。ひざを曲げ、かかとだけを床につけ、つま先を起こします。
②かかとを床に押しつけたまま、お尻のほうに引きつけるように力を入れます（かかとの位置は変えません）。ふくらはぎ、太もも裏に力は入りましたか？
③そのまま股関節を開いて太ももを外に回し、かかとを引きつけるように力を入れます。
④さらにその力を維持したまま、お尻を上げると殿筋に効くことが体感できます。お腹には力を入れておきましょう。腰を反らすのではありません。
「かかとを押しつけて引きつける」ことで効果が増し、体の後ろ側をパワーアップします。
⑤この動きは台の上でもできます。このときもかかとを引くようにして力を入れます。
⑥片脚上げでさらに強度が上がります。

①床に寝てひざを曲げつま先を上げる。

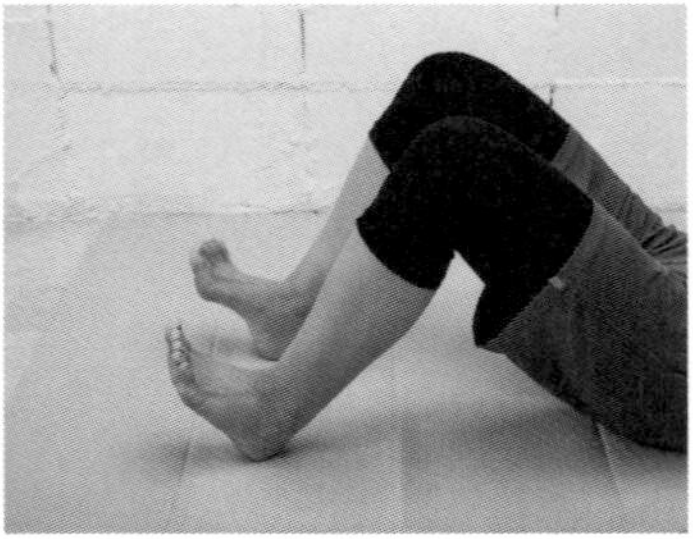

②かかとを床に押しつけたまま、引き寄せるように、ふくらはぎ、太もも裏に力を入れる。

③かかとを床に押しつけたまま、ひざ、つま先を開き股関節を開く。

④ここでお尻を上げるとヒップアップ効果がある。腰を反らすのではないことに注意。

⑤パワーのある人は、安全な台の上でもできる。

⑥片脚を上げて行ってもよい。

なぜ私はひざ痛を10日で治せるのか

ひざ痛を治す【鉄則】がわかったうえで、【基本１】【基本２】【基本３】の３つを理解すれば、今までの運動が効果のある運動に変わるのです。歩き方も変わります。ひざを治すだけではなく、より強い体を作るためにもぜひ取り入れてください。

次の章でご紹介する【動き方】では、ひざ痛持ちが苦手な動きをまとめています。**本来単純な動きで使われるべき筋肉が使われなくなっているだけで、「痛み」は引き起こされるものです。**自分が今まで使ってこなかった筋肉を見つけるためにも、１つずつ丁寧に動かしてみてください。

「なぜ10日で治せるのですか？」と患者さんに聞かれることがありますが、こういった概念を理解し、その動きを体になじませていくのに「10日」はかかるということです。何度も何度も動かして、神経回路を作っていくことにより、皮膚も若返ることになります。

どんな人であれ、毎日加齢は進みます。ここまでにご紹介した簡単な３つの【基本】だけでも十分効果があるので、続けてみてくださいね。

第4章
ひざが痛くなくなる5つの動き方

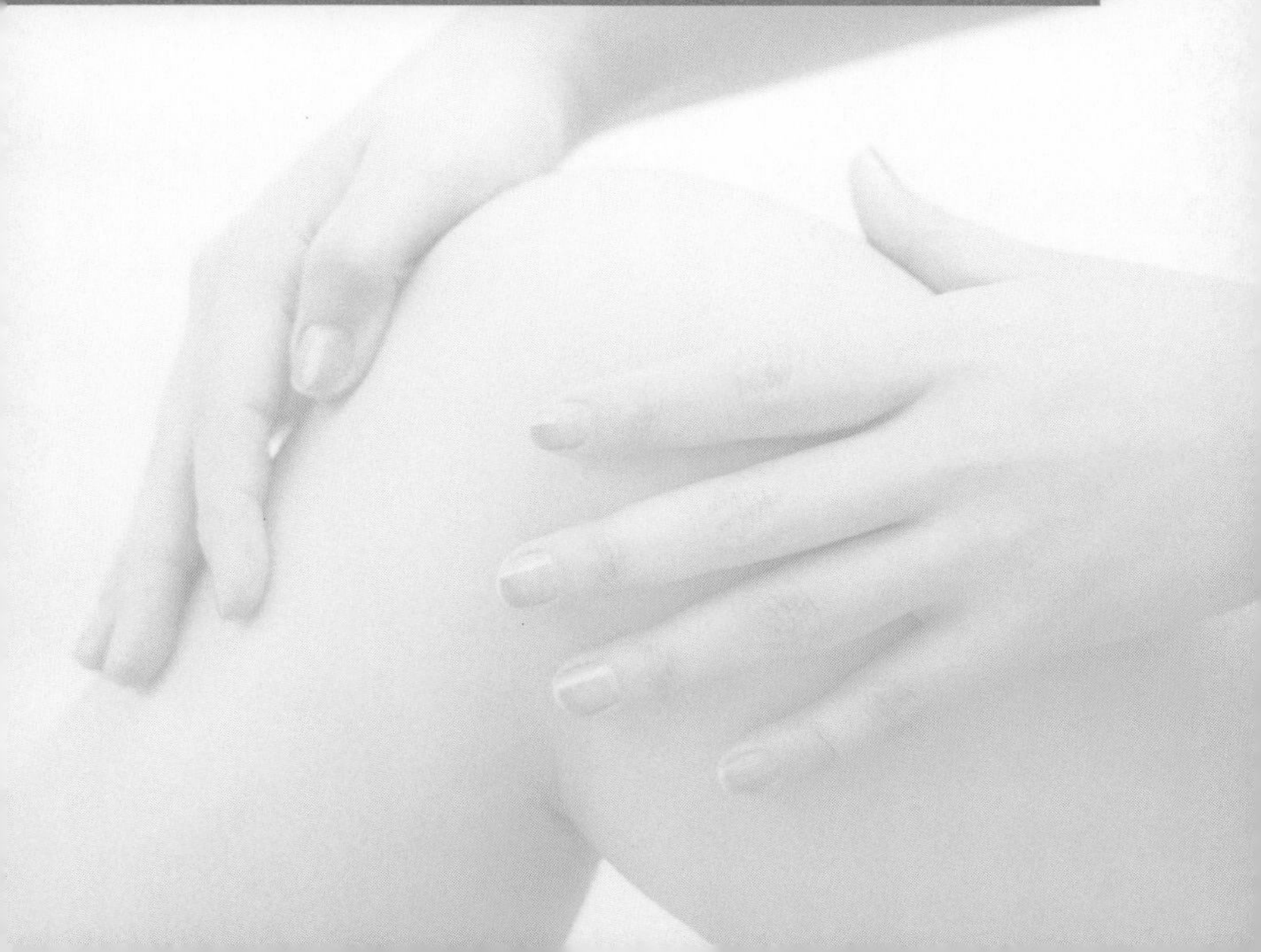

【動き方1】絶対に足の指は曲げない！

「つかむように歩きましょう」の間違い

「地面をつかむように歩きましょう」と言われたことはないですか？　「つかむ」と聞いて、私はずっと足の指をぎゅっと曲げることだと思っていたのですが、それは間違いでした。

本当の「足でつかむ」は手で示すと、下左の写真のようになるのが正しいのです。

足の指は伸ばしたまま、これが正解なのですが、そんなこと、誰にも教えてもらったことなどありませんよね。

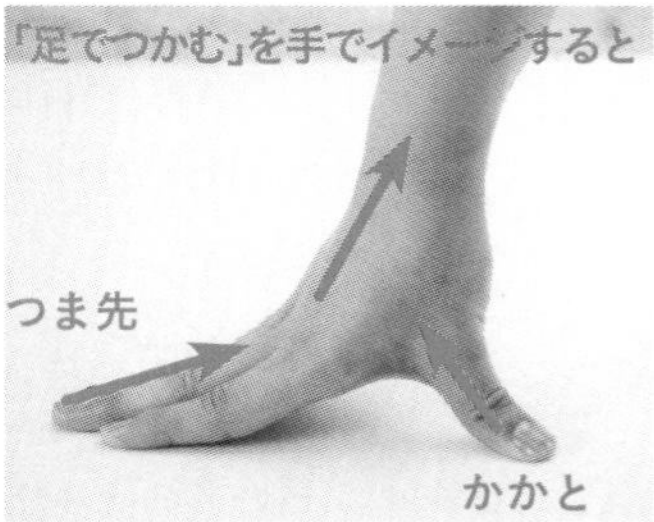

伸ばした足の指とかかとで引き上げるように力は働く。これが本当のつかみ方。

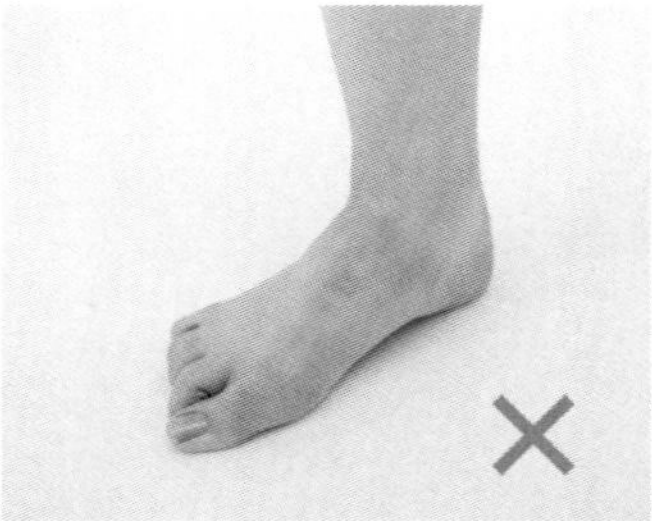

足の指を曲げても地面はつかめない。

どうしてハンマートゥになるのか

足の指を曲げて靴を履いて、指にまめができていませんか？　ヒールのある靴ではどうでしょう。ハイヒールは足の指を曲げて履いてもいいと思っていたら危険です。
実は足の指を曲げてしまうと足裏のアーチは上がらなくなってしまうのです。頑張って歩けば歩くほど、扁平足になってしまうと考えていいでしょう。おまけにこの形が続くとハンマートゥ（足指が曲がって固まった状態）になってしまうのです。

30代ぐらいまでなら窮屈な靴で曲がってしまった指も、靴を脱ぐと元に戻ります。しかし40代、50代、60代……になってくると靴を脱いでも元に戻りません。曲がったままです。これがハンマートゥです。そうなるとさらに足裏のアーチは落ちていきます。まずは指をしっかり伸ばしましょう。

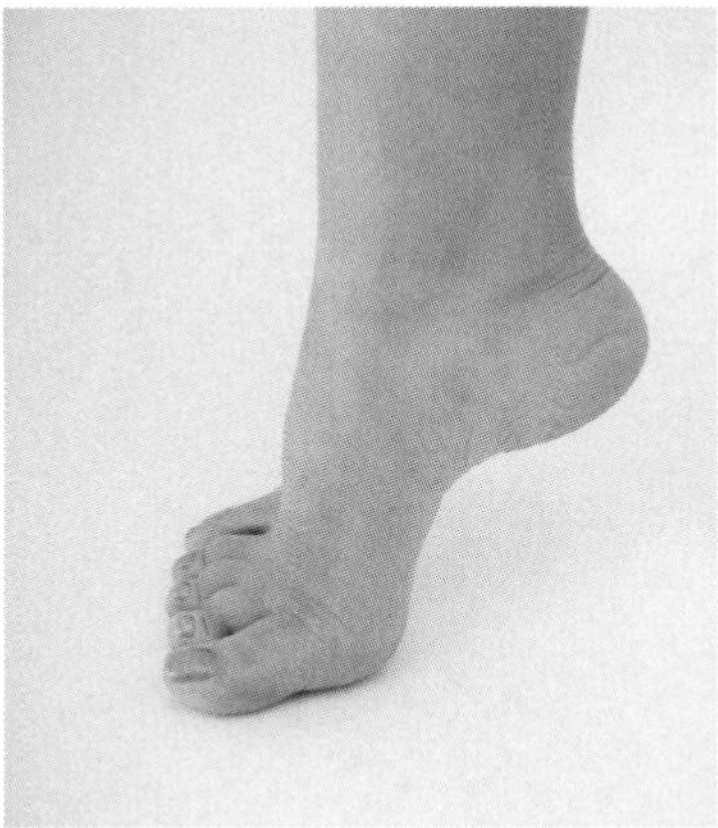

足の指を曲げるクセが続くと足裏のアーチは上がらなくなっていく。

曲がった指を伸ばす

①壁に足の指の腹をつけます。外反母趾などで親指の付け根が痛むようであれば、親指と第2指の間にシリコンなどを入れて開いてやると痛みが治まる場合があります。正しい本来の位置に戻してやると痛みが出ない場合が多いのです。

②親指から小指は傾斜しているので、角度を変えて小指側も伸ばしましょう。

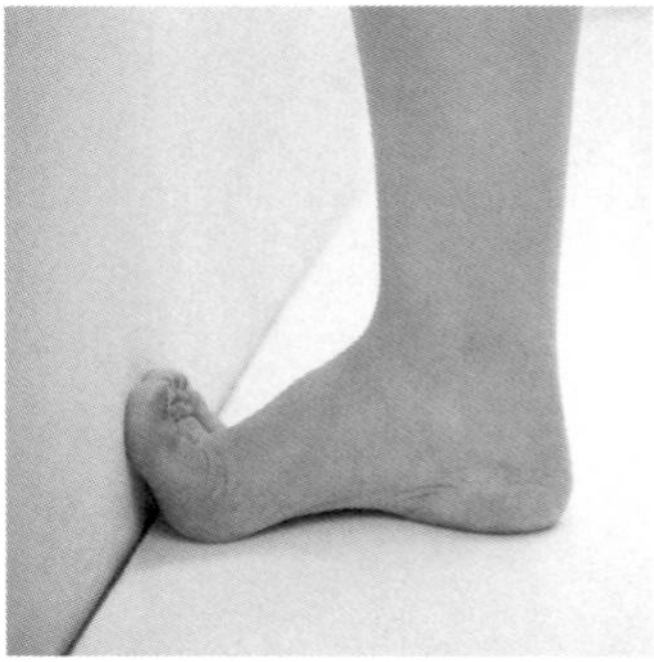

①壁に足の指の腹をつけ、よく伸ばす。

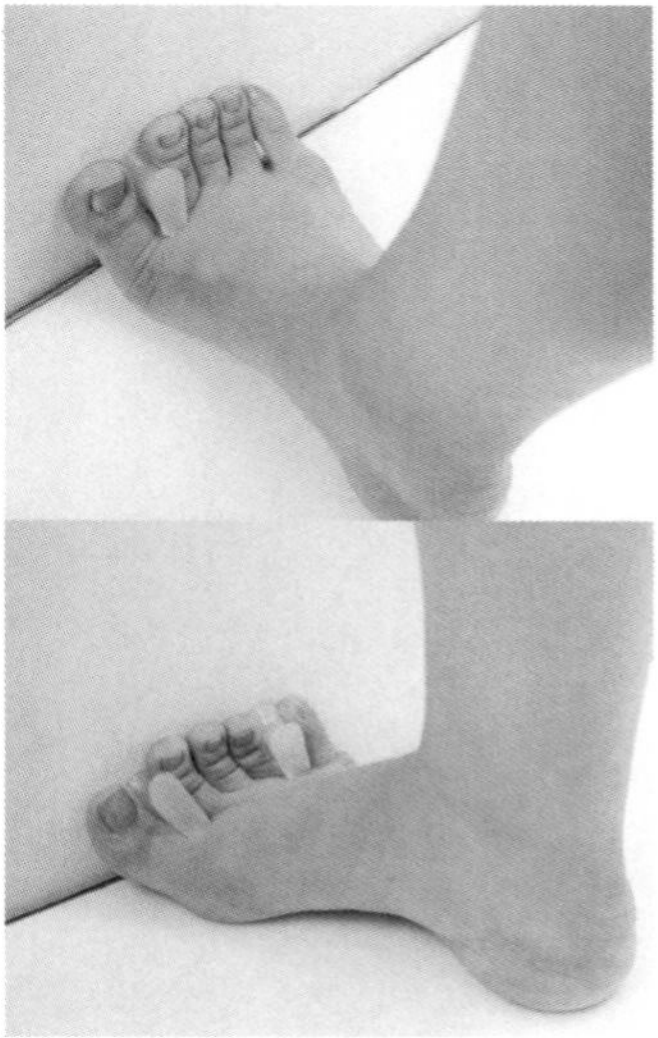

②足の指は親指〜小指にかけて角度があるので、かかとの位置を変え全部の指の裏を伸ばす。

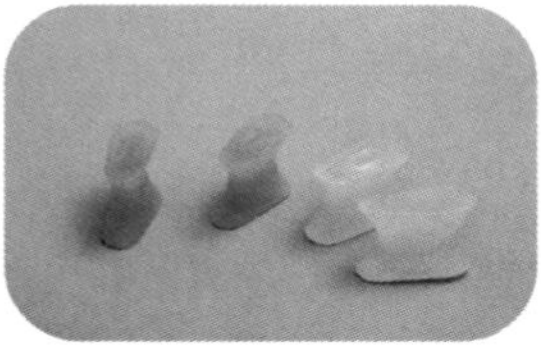

シリコンはDIYショップや100円ショップで購入可能。

①のときに土踏まずがグッと上がっていることを確認してみましょう。

この指の腹が伸びた感覚で床を蹴ることができるように、足の指の腹をしっかり床につけ、甲を最大限に上げてみましょう。

ハイヒールもこのように履けたらいいわけです。ただし、甲にある靭帯を痛めて伸びきっている人は無理をしないでください。

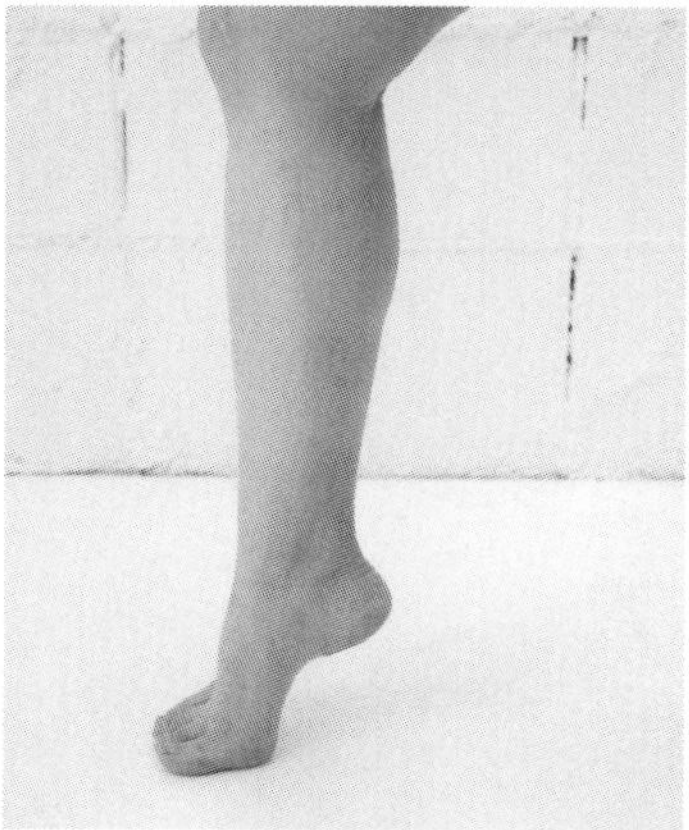
床に足の指の腹をしっかり押しつけて甲を最大限に上げてみる。

では足の指が曲がっていると土踏まずが上がらない理由を説明していきましょう。

なぜ足の指を曲げると土踏まずが上がらないのか

それは虫様筋《ちゅうようきん》という筋肉が働かなくなるからなのです。

足裏のアーチは3本あります。そのうちの足の親指の付け根から小指の付け根にある横アーチに無理がかかったり、使いすぎたりした場合、緊張が起こり、虫様筋などの筋力低下が起こります。指は曲がるのですが、中足趾節関節（MP関節）という指の付け根からは曲がらなくなります。そうなると足指の付け根が開いていき、やがて開帳足《かいちょうそく》（足の横アーチが崩れ、足幅が広くなってしまっている状態）になります。そこから外反母趾や内反小趾も起きやすくなります。

そうなると足裏のアーチ全体も落ちてしまうので、足裏の指の付け根に「たこ」ができます。指を曲げようとする筋肉（長母趾屈筋や長趾屈筋）が強いと、このMP関節は伸びきってしまうのです。まさしく私の

虫様筋は手にもある。

足がこれです。MP関節から指を曲げられません。

長母趾屈筋や長趾屈筋のほうが強く、虫様筋が働かないタイプの足に起こりやすいのは「ハンマートゥ」です。そこから足の外がえしが起こり、底屈力（足の甲を伸ばす力）も弱くなって、立っているときに足の土踏まずがない状態になってしまうのです。

この虫様筋をトレーニングしているのがバレエダンサーたちです。指は伸ばしたまま指の付け根で曲げるトレーニングで足裏を鍛えるのです。


ですから、床に置いたタオルを足の指でたぐり寄せる「タオルギャザートレーニング」を指だけ曲げて行うのは間違いです。指の付け根を曲げてたぐり寄せなければなりません。ほんの少し指を伸ばして運動する

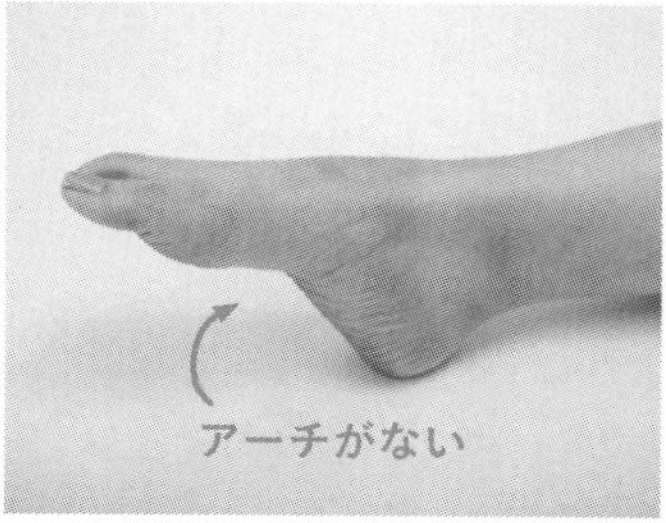

頑張っているのに足の指も付け根も曲がらない足。写真ではアーチがあるように見えるが、実際に立つとアーチが落ちる。

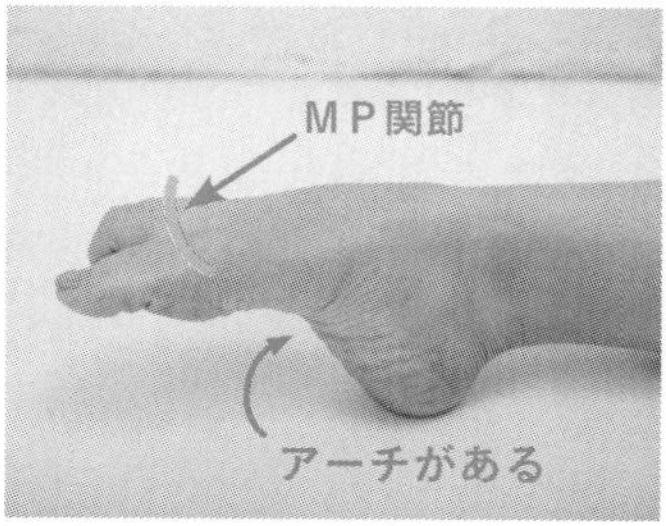

指だけでなく付け根も曲げられたら大したもの。写真では親指があとひといき。

だけで、体の後ろ側にかかる力が変わってくるのは驚きです。少しずつ指を常に伸ばすように努め、「蹴る」動作のときに指が曲がらないようにしましょう。そして、足の指の腹に力が入るけれど伸ばすということは「縮め伸ばし」ですね。そのときにしっかり甲が上がってくるはずです。それが本当の意味での「つかむように歩く」ということです。

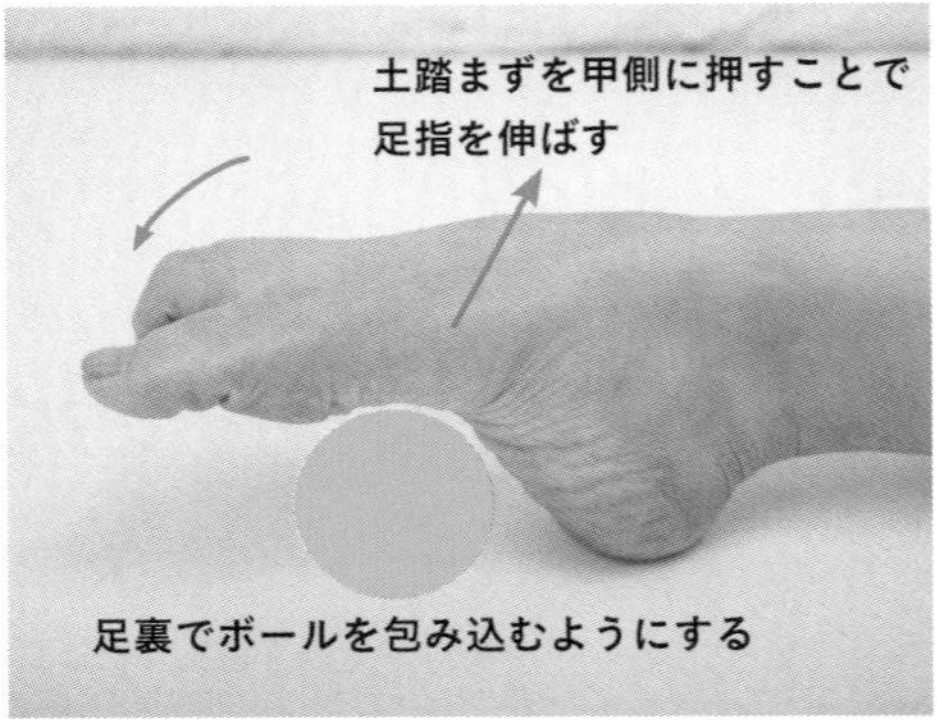
土踏まずを甲側に押すことで
足指を伸ばす
足裏でボールを包み込むようにする
指を伸ばしたまま付け根で曲げる。アキレス腱は、縮むのに足裏でつかむという力により引き伸ばされる「縮め伸ばし」が行われる。高度なバレエのテクニック。

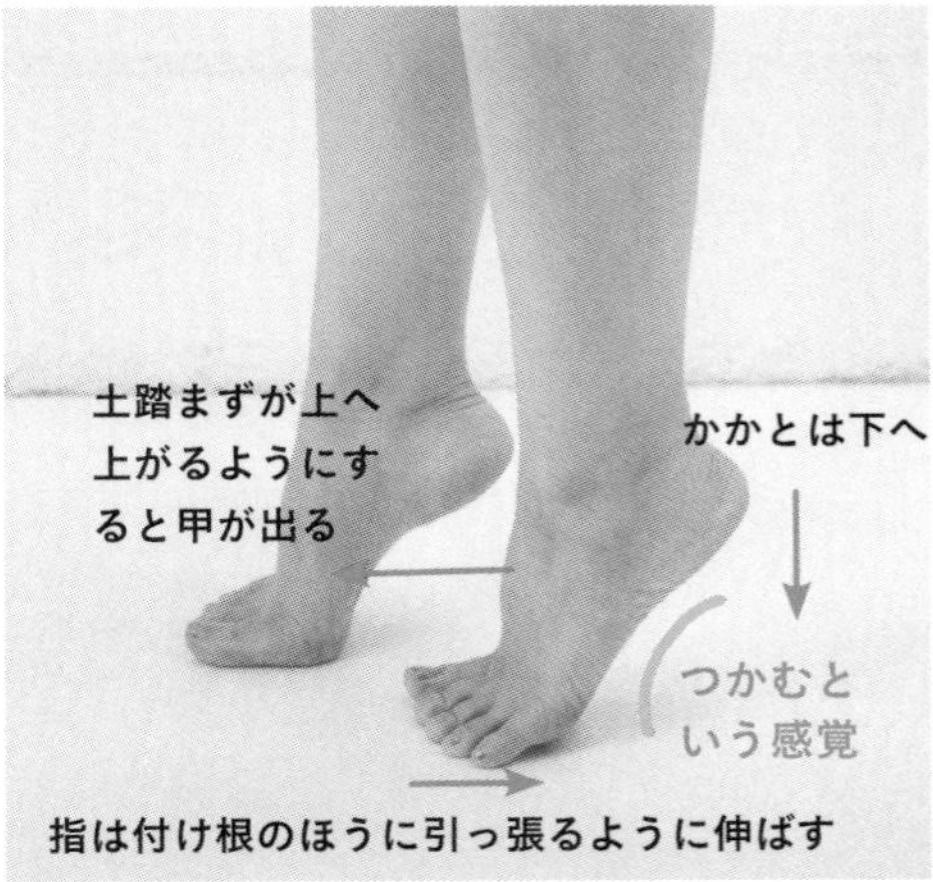
土踏まずが上へ
上がるようにす
ると甲が出る
かかとは下へ
つかむと
いう感覚
指は付け根のほうに引っ張るように伸ばす
伸びた足の指とかかとでつかむ力は、上に引き上げ、微妙なバランスでかかとから床への重心も働く。

【動き方2】はさむ力をつける！

それ、「骨盤のずれ」のせいじゃありません！

「姿勢が悪い」と言われることに悩んで相談に訪れた中学生の女の子がいます。

「骨盤がずれているんだと思います」

「え？　どうしてそう思うの？」

「電車で座っていても脚が開いているから……」

驚きました。何でもかんでも「骨盤のずれ」を原因とする今の風潮に疑問を感じます。

彼女の筋力をチェックしたり動き方を観察していくと、単に姿勢を維持する筋力が足りないのが原因でした。そして、どのようにして姿勢を作ればいいのかがわかっていませんでした。骨盤のずれなど、そう起きるものではありません。ただ腹筋力や、股を締める筋力、内転筋が弱いせいです。

先日電車の中で目の前に座っていた女子中学生3人（運動部系）は、眠っているわけでもないのに、3人とも股が開きっぱなしで目のやり場に困りました。「女の子だから股を閉じろ」という問題ではなく、男女とも内転筋に力を入れることが日常生活で減ってきているのです。内転筋とお腹の筋肉は切っても切れない関係です。放っておくと、のちのち生殖器系のトラブルや尿もれに悩む危険性があることを覚えておいてほしいものです。

歩行を動画で撮って検証すると、足を体の中心線から外側に出して歩く人がいます。動画を見るまで気づかなかったということがほとんどです。このタイプのひざ痛はガニ股系です。脚が開くだけでなく、どんどんひざも曲がっていくので、【基本2】の膝窩筋を鍛えるとともに内転筋も鍛えましょう。

内転筋を鍛える4つの運動

股を締めるスクワット

①足を広げつま先を外側に向け足の指を上げて立ちます。【基本1】の通り、これで体の後ろ側に力が入ります。足の小指を外に広げると効果的です。

②上体が前に倒れないように気をつけながらひざを軽く曲げていきます。

③かかととかかとをくっつける方向に力を加えながらひざを伸ばしていきます。このとき、かかとの内側が伸びる（かかとを立たせる）ように意識すると効果が上がります。【基本3】を思い出しましょう。

股関節を外旋させて力を入れることにより、お尻が上がる効果があります。この運動での「縮め伸ばし」は太ももの内側からかかとまで、さらに足裏でも行われていますね。つま先を上げず、かかとも意識しないで行ったときと比べてみてください。お尻の上がり方が違いますよ。

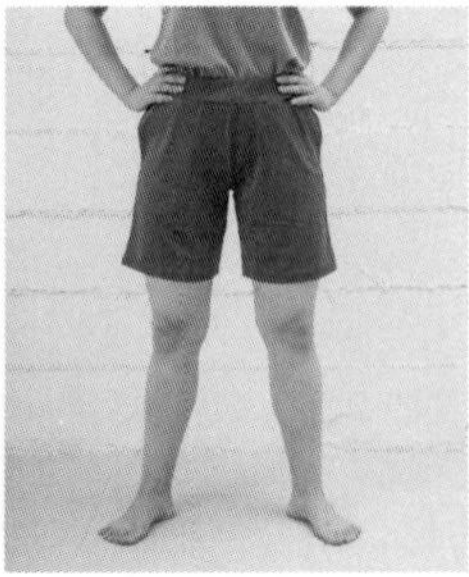

①つま先とひざの向きは同じにして立つ。足の指を上げ、小指を外に広げると効果大。

②ひざを軽く曲げる。足元を見ようとして頭を下げないこと。

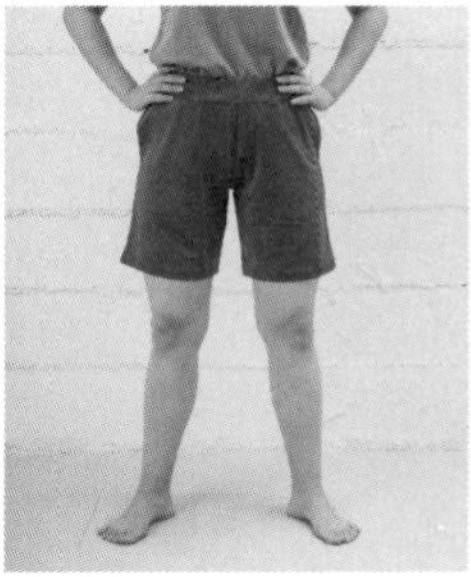

③骨盤の向きも忘れずに。かかとから太ももまでを締める。

脚の内転ヨガでねじりデトックス

①左脚を曲げて床に座ります。

②上半身を左側にねじります。右腕は曲げないようにし、ひじで右ひざを押さえるようにして胴体のねじりを強化させます。このとき、左脚の股関節は内転（内側に）、足首は逆にかかとを軸につま先を外側へ外転させます。このとき息を吐いて体の力のベクトルを腹部に集中させましょう。顔は斜め上、骨盤は少し前傾させるようにすると、腹部への効果がさらにアップします。

これはデトックスにもなるといわれ、腹部に効くヨガですが、力のベクトルがお腹に来

形だけできても意味がない。どこにどのように力を入れるか理解して行うと効果が上がる。

るようにするには足・脚の向きがとても重要です。ここでは脚の内転力を高めるために取り上げました。

ひざはお尻で締める

①いすなどに座ります。
②かかと、ひざを両サイドから締めます。このとき太ももを外旋する力も加えて締めると自然にお尻にも力が入り下半身全体が締まります。
【基本１・２・３】を使うと体の後ろ側からひざが締められることもわかります。

座ったときの脚をきれいに見せるには、脚の流れ（ねじり）を作って、甲をしっかり前に出すようにすると、脚が長くきれいに見えます。

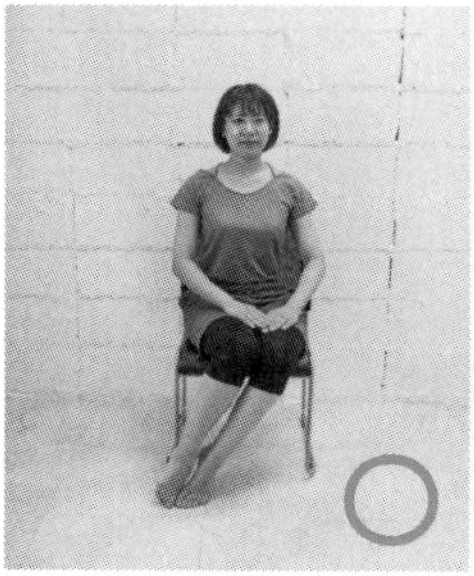

脚の流れ（ねじり）を作り甲を前に出すと脚長に見える。

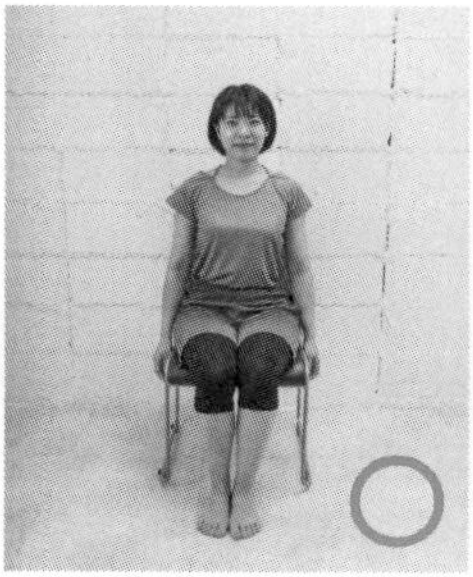

体の後ろ側を使って座ると自然とお腹も凹む。

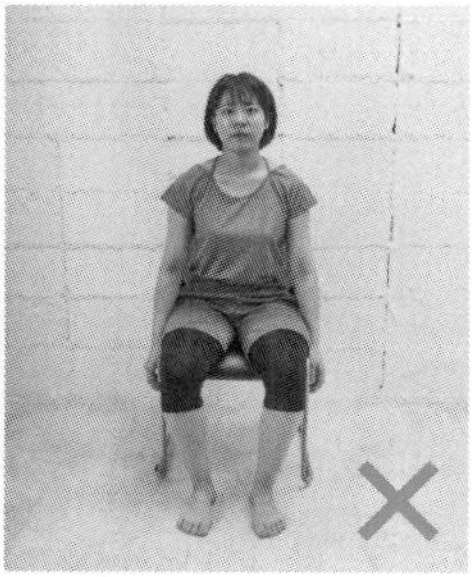

電車などでよく見かける姿勢。

ヒップホップダンスの「ロジャーラビット」もどき

①体を丸く前にかがめると同時に右脚をひざを曲げながら上げます（体はダウン）。カウント・ワン！

②体が上に伸びあがると同時に右脚を伸ばし、太ももを外側から回すようにして、軸になっている左脚の後ろへ（体はアップ）もっていきながら、カウント・ツー！

③右脚を左脚とクロスさせるように着地させると同時に左脚を上げます（体はダウン）。カウント・ワン！

④左脚を回して右脚の後ろへ着地すると同時に右脚を上げます。カウント・ツー！

①「ワン」で片ひざを曲げ体をかがめる。太ももは外側に回すように。

②「ツー」で上げた脚を伸ばし外側に回しながら体も伸ばす。

③また「ワン」で回してきた脚を反対側の足があったところに着地させると同時にもう片方の脚を上げる。

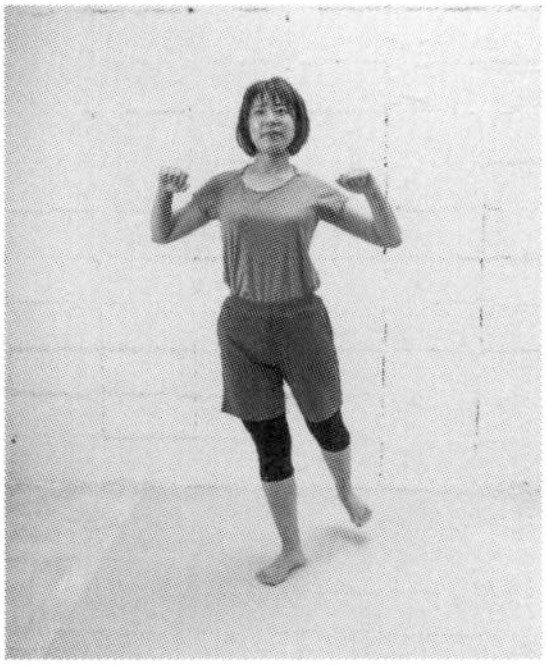

④写真②の左右逆バージョン。軸脚も太ももを外側に向け、ひざが内側に入らないように注意。

軸脚のひざが内側に入らないように気をつけましょう。

難しいようですが、コツがわかれば簡単な動きです。ところが体幹を支える筋力が必要なので、できない人が続出しますが、それでいいのです。「やってみる」ということが一番大事なことです。軽い有酸素運動にもなるので、お出かけが減った方には最適です。脚をクロスさせる動きが内転筋を鍛えることになりますので頑張りましょう。

X脚でひざがくっついている人は内転力があるのかと思いきや、意外に弱い人が多いことに驚きます。やってみるとお腹にも力が入ることがわかると思います。脚をくっつけようとする内転力がなくなると、お腹にも影響が出てくるのです。

【動き方3】股関節を伸ばす！

腰を反らせているだけの股関節伸ばしはNG！

初期のひざ痛であれば股関節を伸ばすだけで治ることもあります。「股関節？　伸びてるでしょ？」と安易に考えていると、いつの間にか症状が進んでいるので、ひざに痛みがある場合は注意して伸ばしていきましょう。

股関節を伸展させる運動はいろいろあるのですが、ほとんどの人が「腰を反らせているだけ」で股関節は伸展していません。

X脚に多い腰椎過前弯《ようついかぜんわん》（反り腰）の場合、骨盤が前傾しているため見た目では股関節が伸展しているようでも、ただ腰を反らしているだけということが非常に多いのです。正しく行うためには「お腹を凹ます」ということをしなければならないのですが、それには蹴る力も関係しています。少しずつ可動域を広げていきましょう。

股関節が伸展しない間違った運動の例

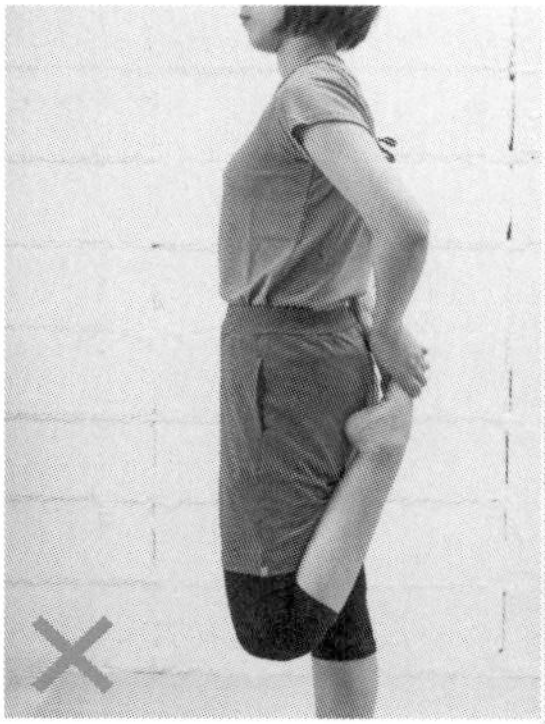

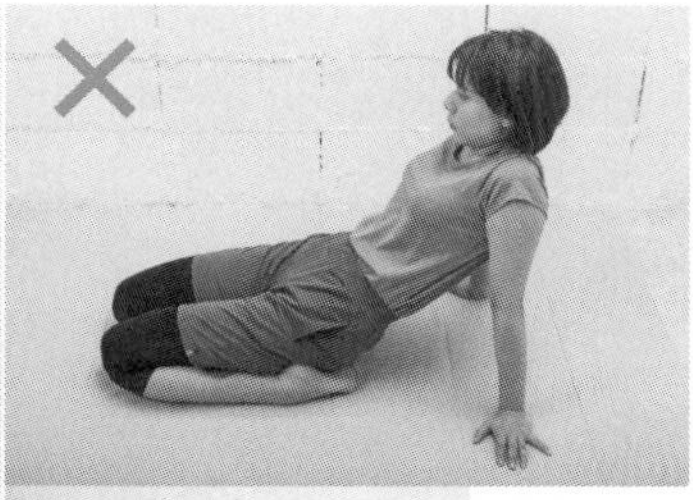

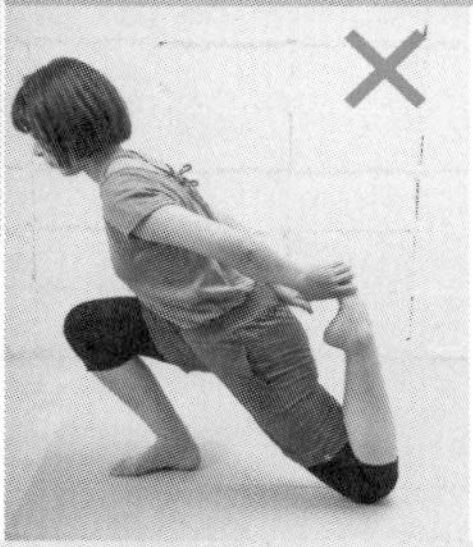

これらでは腰を反らせているだけで股関節は伸展しない

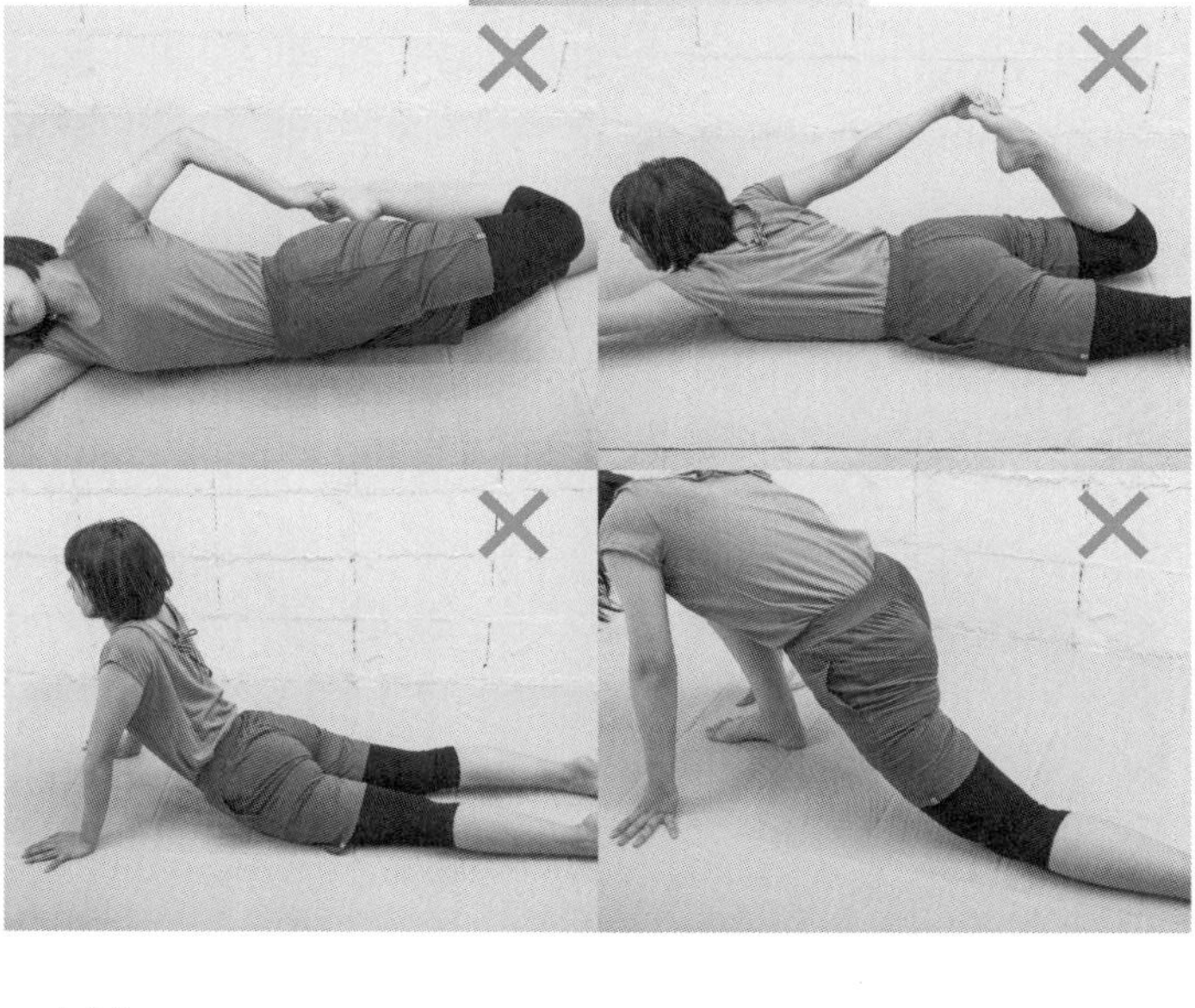

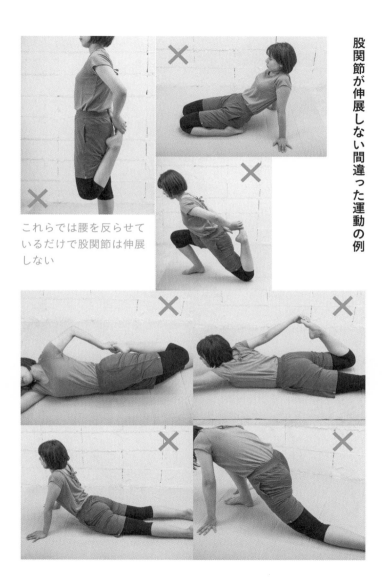

正しい股関節伸ばしができる4つの動き

台をまたぐように股関節伸ばし

①ベッドやいすなどに脚をかけて、またぐように後ろ脚を伸ばします。後ろ脚の太ももは外旋させたり内旋させたり転がすように向きを変えつつ股関節を伸ばします。鼠径部が伸びるようにしましょう。

お腹に力を入れて腰が反らないようにします。

②かかとを上げるとより伸ばすことができますが、腰の反りに注意です。脚を入れ替えて行います。

太ももを押しつけるようにしながら体全体を前に移動させるようにすると「縮め伸ばし」が可能になります。股関節の伸展のストレッチですが、力が入ってく

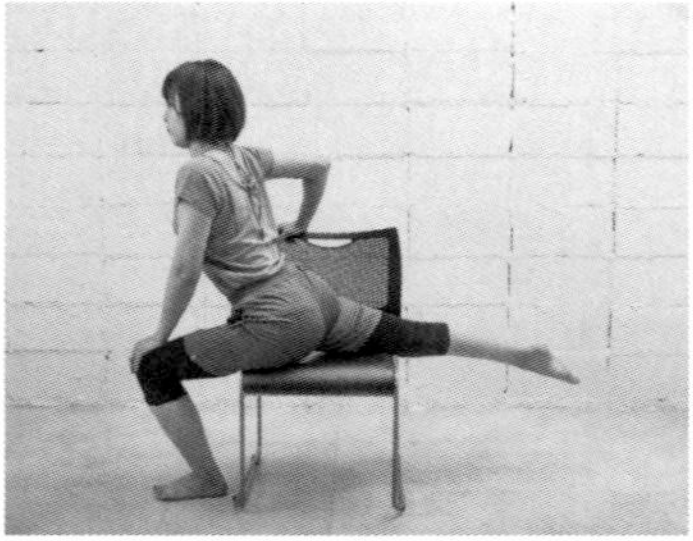

①安定したいすなどで行う。腰を反らすのではない。気持ちがいいところまででやめてOK。

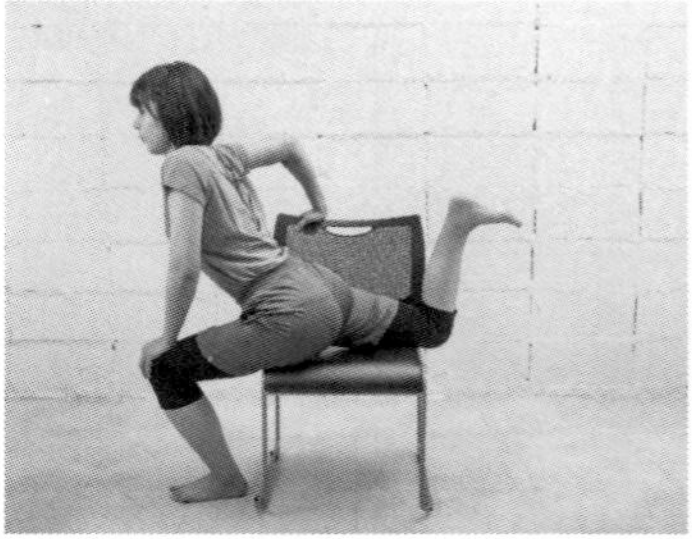

②かかとを上げて行うときは腰が反らないように注意。

ると殿筋やハムストリングに力が入り、筋肉強化に変わります。

Ｏ脚矯正にもなる股関節伸ばし

①床に腰を下ろし前脚は曲げて、後ろ脚は伸ばします。後ろ脚の太ももを転がすように向きを変えつつ、股関節を伸ばします。鼠径部が伸びるようにしましょう。お腹に力を入れて腰が反らないようにします。

②前脚のひざから下の位置を動かしていきます。前脚の太ももを外旋させ、ひざから下が折りたたまれた位置から、ひざとかかとが真横に並ぶ位置まで少しずつ動かします。Ｏ脚はひざから下が外側にねじれている場合が多いのですが、この動きには内側に入れる効果があります。

①床に腰を下ろし、前脚は畳んだ状態で後ろ脚を伸ばし、股関節を伸ばす。

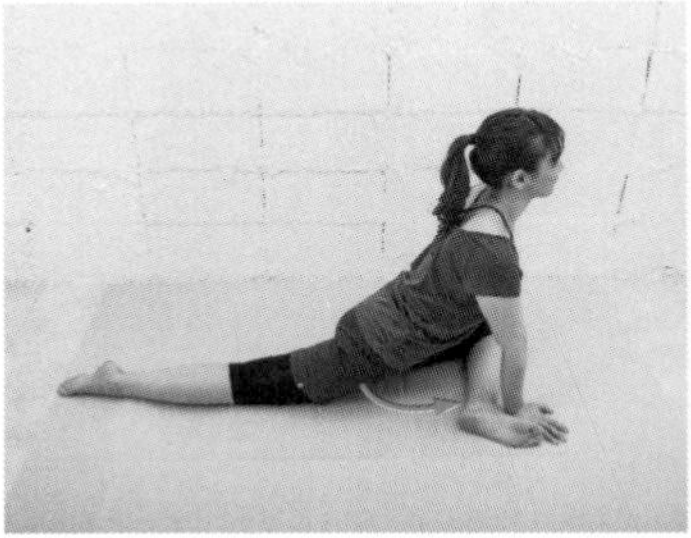

②股関節を正しく伸ばすのが目的。上体を反らせるのではない。

荷重は自重《じじゅう》（自分の体重の負荷）のみなので危険はないのですが、無理は禁物です。

体を両腕で支えることになるので、意外と全身運動になります。そして腹筋にも効果があることが体感できます。

太もも外旋で片脚スクワット

①前後に脚を大きく開きます。足は前足も後ろ足も外側に開き、骨盤はできるだけ前へ向けます。前脚はひざを曲げ、後ろ脚はひざを伸ばしたままです。太もも（股関節）はどちらも外側に回しています。

②息を吐きながら前脚のひざを曲げ、静かに

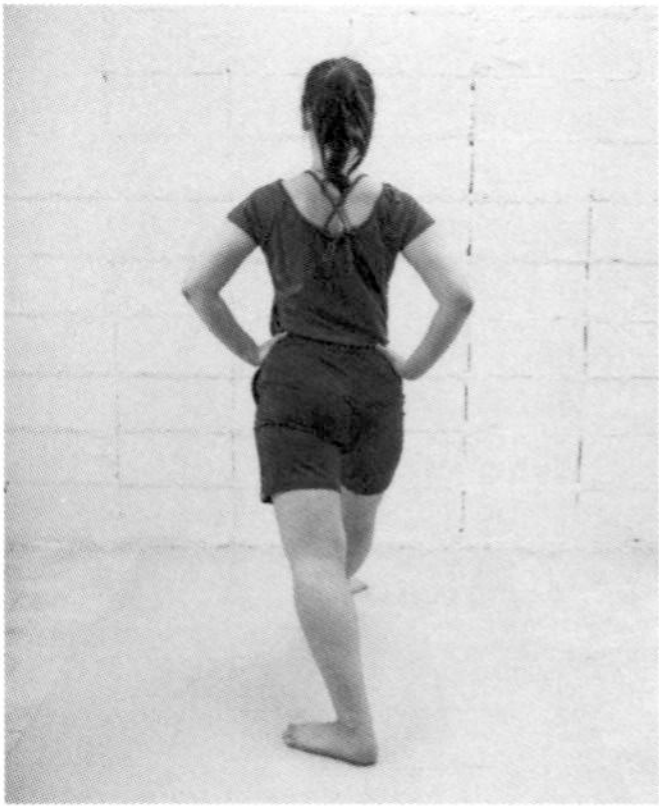

①左右のつま先は外側に向け、骨盤はできるだけ前へ向ける。

後ろから見たところ。前脚、太ももが外旋するとこうなる。

上体を下ろしていきます（前へ行くのではなくダウンする感じ）。腰は反らさないようにします。

太ももをしっかり外に回すようにするのですが、この運動のときも「かかと」を立たせ内側の筋肉が伸びるようにすることと、「かかとから足の小指サイド」の力に意識を向けることが大切です。

わからなくなったときは【基本1】の「足のバンダ」をやってみましょう。【基本2】【基本3】も使うと、効果大です。

横から見たところ。太ももをしっかりと外旋させること。

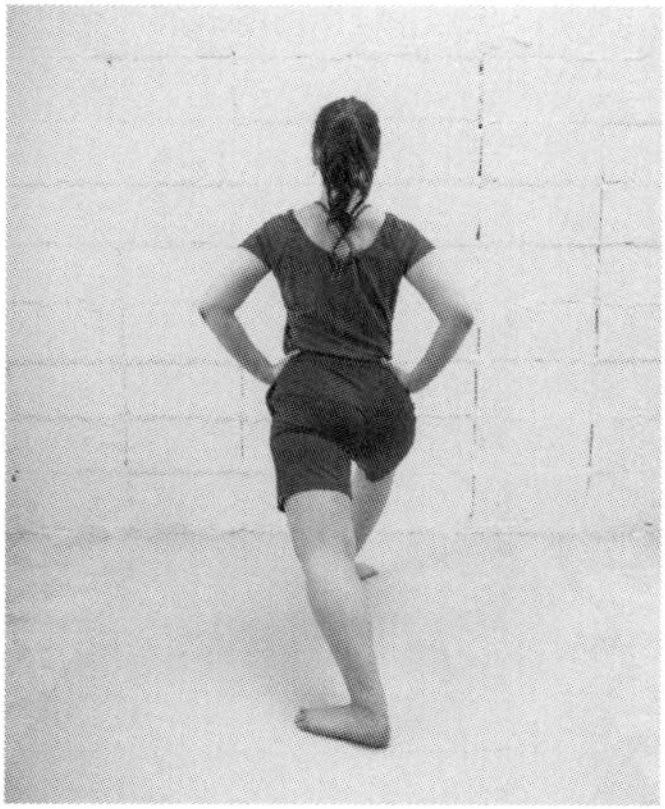

②前脚のひざを曲げて、上体を下ろしていく。太ももは外旋。

脚を開いたラクダのポーズ

①ひざを開いてつま先を立てて床にひざをつきます。外反母趾などで足の親指が痛い場合は足の指を伸ばし甲を床につけてもかまいません。

②かかとをつかむのを目的に腕を後ろに伸ばします（つかめなくてもよい）。太ももが床から垂直になるようにしたまま、上半身を後ろに倒します。肩甲骨を寄せ、胸を広げ、あごは引いたまま上げたり曲げたりしないように注意。

③できるところまで倒せたら元の位置に戻ります。戻るときも丁寧に筋肉を使います。

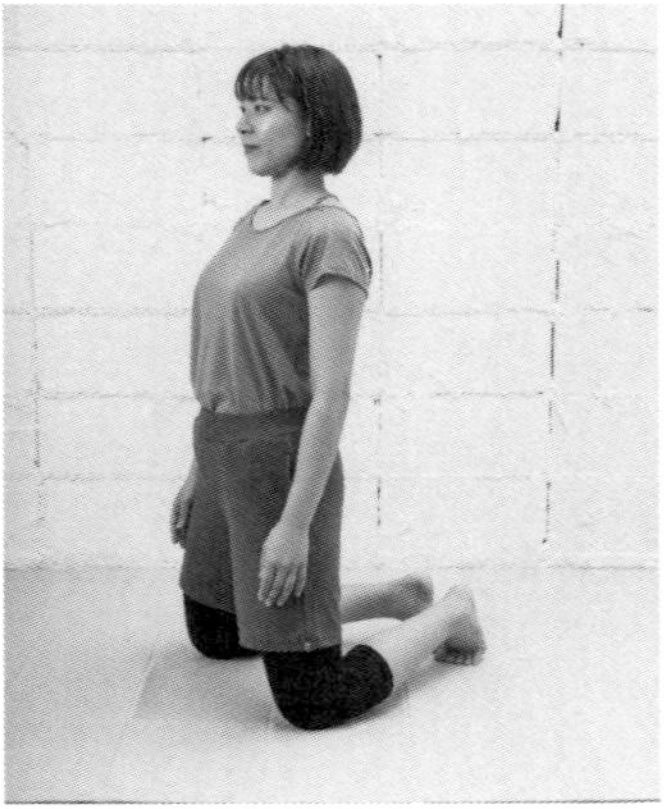

①足の指を伸ばして床につけると足裏アーチも作れる。無理はしないように。

②③上体を後ろに倒していき、ゆっくり元の位置に戻る。

お腹に力を入れた状態で行わないと、腰が反ってしまい腰を痛める原因になるので、注意が必要ですが、この動きだけで股関節が外旋し、伸展し、体の後ろ側（お尻、ハムストリング、ふくらはぎ）に力が入ります。そして特に脚のサイドの筋肉が使われます。胸も広がり、背中も鍛えられるので、軽く後ろに倒れるというところからやってみてください。あるいは右手だけ、左手だけというように片方ずつやってみてもかまいません。

股関節を伸展するだけでひざが治ってしまう場合も多いようです。実際、私の初期のひざ痛はこの股関節を伸展させることだけで治りました。

太ももの前とふくらはぎが太くなる理由とは？

ひざ関節の動きに関わるいくつかの筋肉は同時に股関節の動きにも関わります。

ひざ関節の伸展：大腿直筋、外側広筋、中間広筋、内側広筋（まとめて大腿四頭筋）

ひざ関節の屈曲：縫工筋、大腿二頭筋、半腱様筋、半膜様筋、薄筋、腓腹筋、膝窩筋、足底筋

太もも前にある４つの筋肉をまとめて「大腿四頭筋」といいます。

この４つの筋肉のうち大腿直筋だけが骨盤の骨から始まっていて、股関節とひざ関節をまたいでいます。１３３ページのコラム⑤「膝窩筋についてさらに詳しく」で書いたように膝窩筋は単関節筋です。大腿直筋は２つの関節をまたぐので「二関節筋」に分類されるのです。

二関節筋がわかると脚の形を変えられる

大腿直筋という筋肉は

・股関節の屈曲
・ひざ関節の伸展

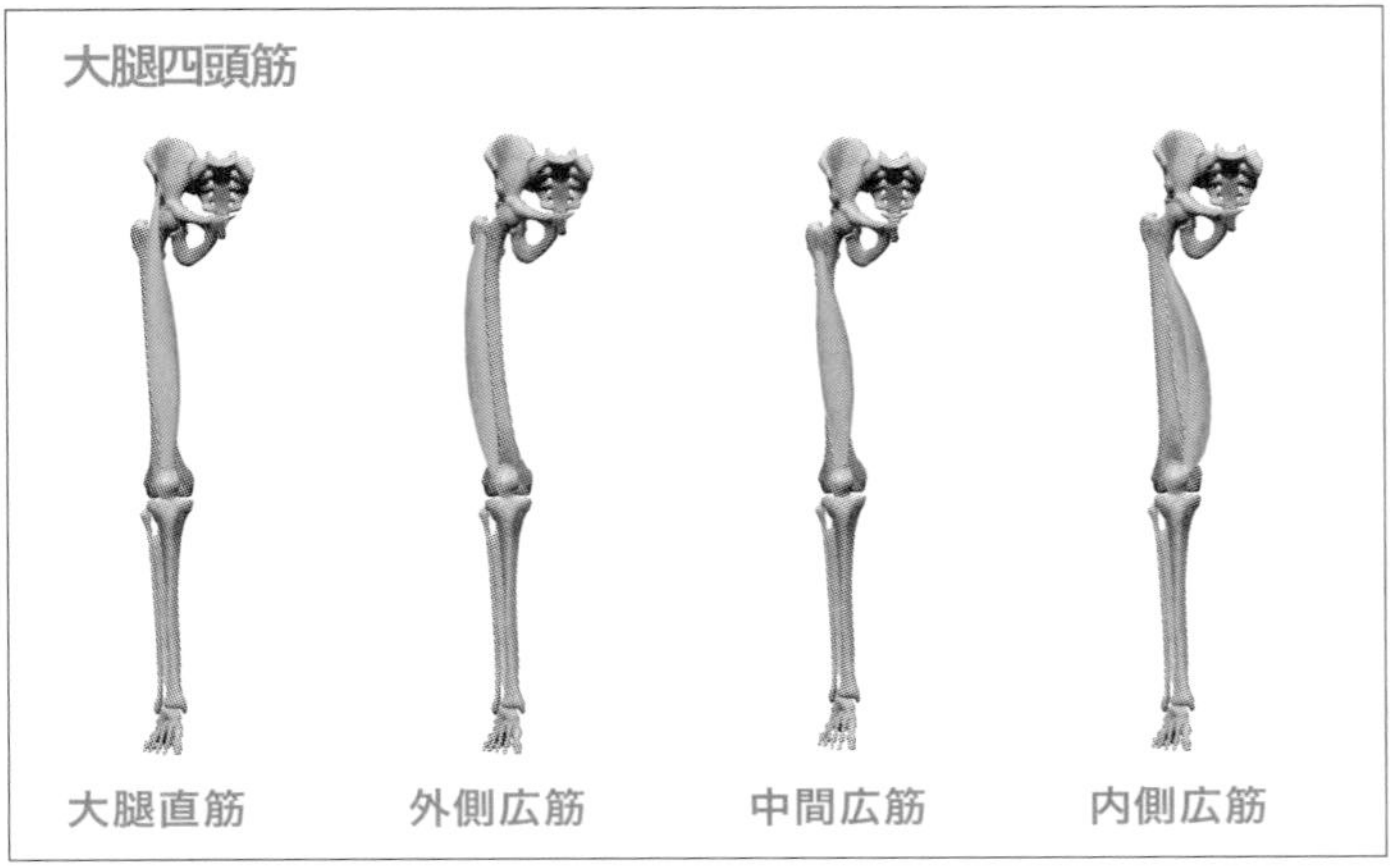

太ももには４つの筋肉がある。

この2つができるのですが、両方いっぺんに行うのは苦手なのです。これが二関節筋の特徴です。大腿直筋は股関節伸展時でなおかつひざ関節伸展のときに力を発揮します。サッカーボールを蹴るとき、蹴る寸前の後ろへ足を振り上げたときの状態です。

それに対して大腿四頭筋の残りの3つ（外側広筋、中間広筋、内側広筋）は単関節筋です。ひざ関節の伸展を徹底的にやってくれるわけです。ということは、股関節屈曲状態でひざを伸ばすとき、大腿直筋ではなく他の3つの筋肉が働くということ。サッカーボールを蹴り終わったあとの状態です。

蹴る瞬間は広筋群で股関節を最大に屈曲させる。

蹴る寸前に後ろ脚の大腿直筋を伸ばして勢いをつける。

骨盤前傾タイプだと股関節が屈曲状態になりやすく、その体勢で前に脚を振り上げてひざを伸ばしてばかりいると太もも前がムキムキに育っていく……ということになります。

「じゃあ、股関節を伸展させて太ももを後ろに伸ばしたらいいのね」

確かにそうなのですが、このタイプの方は腰椎の前弯が大きい場合が多いので、腰を反らせるだけで股関節を伸展させるに至らないことが往々にしてあります。そうこうするうちに大腿直筋が固くなり、前から骨盤を引っぱるとさらに骨盤は前傾していきます。これに対抗できるのは腹筋力だけです。腹筋ありますか？　衰えてきていませんか？

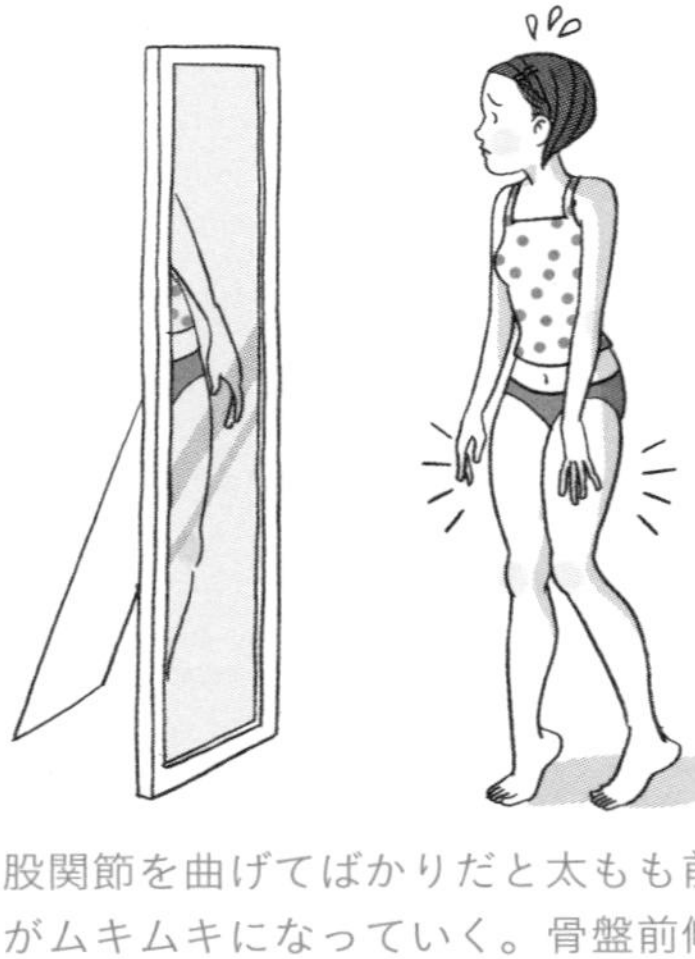

股関節を曲げてばかりだと太もも前がムキムキになっていく。骨盤前傾タイプは特に注意が必要。

O脚の前かがみの姿勢も太もも前が太くなります

太もも前にある外側広筋が収縮すると、ひざのお皿を外側のほうに強く引くので、ひざのお皿の亜脱臼や脱臼といったことが起こります。そしてこの3つの広筋群は、同時に収縮してひざ関節を伸展させます。股関節が屈曲しているときのひざ関節の伸展で、最も力を発揮するので、体が前傾した状態でひざを伸展すると、大腿直筋よりもむしろこれら3つの広筋群が働き、前かがみがちなO脚だと太もも前が太くなります。

歩行やランニングなどで考えてみましょう。ひざが過伸展していると、股関節を伸ばすところまでたどり着かないうちに次の足が出てしまう。あるいはそのバランスを足裏の踏み込む力で行っている場合、ふくらはぎがパンパンになってきます。

それにはいろんな理由がありますが、股関節を伸展できないでいると、いつか歩幅が狭くなり、股関節、ひざ、足裏の連携がとれない、力が出ない、立てない……となっていくのです。

股関節を伸ばし、ひざを曲げるストレッチを！

おわかりでしょうか。今までの話がつながるのです。股関節の動きで考えた場合、股関節を伸展させて後ろ足が伸びているときは、ひざも伸びているほうがやりやすいのです。股関節が伸展しているのにひざを曲げるというのは難しいことです。ひざに障害が出たときに、特にどうしていいのかわからなくなるのが、段差のある階段を下りるときです。

まずは股関節のストレッチが重要です。ひざが痛いからといってひざを曲げないでいると、この大腿四頭筋がずっと緊張状態になってしまうのです。股関節を伸ばすとともに、ひざを曲げるストレッチも早めにやっておきたいのはこのためです。湯船の中で正座の練習をしたり、温かいシャワーを当てながらひざを曲げてみたりしてください。

なるべく早いうちがいいですよ。私自身も「ううっ」と言いながらもやっていました。リハビリは痛くて怖いものです。乗り越えましょう。

股関節を伸展させる筋肉の力については、次の【動き方4】で説明します。

コラム⑥

高齢者の運転事故の原因

高齢者の筋肉や関節の特性が運転事故の原因

最近多発している高齢者による自動車の運転事故は「ガニ股が要因では？」という記事もありましたが、筋肉や関節の動きの特性もあると思います。

ひざから下の筋肉には腓腹筋やヒラメ筋といった筋肉があるのですが、この2つのそれぞれの腱が結合されてアキレス腱となり、かかとの骨につきます。

腓腹筋は、

- ひざ関節を曲げる
- 足の甲を伸ばす（底屈）

を行いますが、二関節筋だから同時にはできません。そのため、車の運転中にシートを前に出しすぎて、ひざが曲がった姿勢ではブレーキを踏みづらいのです。

それに対して腓腹筋の下にあるのはヒラメ筋です。

一方のヒラメ筋は単関節筋なので、足を底屈させることに全力を注ぎます。

腓腹筋（右脚）

ヒラメ筋（右脚）

高齢者が「うわっ！」と驚いてひざがいったん伸びてしまうと足の甲が伸びて、アクセルを踏み込んでしまうのではないかと思うのです。驚くと人は脚がピンと伸びるようで、道端にミミズがいて驚いたとき、横に跳んだりする動きは「跳ぶ」という動作、すなわち

「ジャンプ」、足の底屈とひざの伸展です。足の背屈（足の甲を引き上げる）をするにはひざを曲げればいいのですが、なかなか動かせないのが反射能力が落ちた「老化」です。「ゲームをしていて反射能力が落ちたのがわかったから、免許を返納した」という加山雄三さんは素晴らしい方だと思います。

体の後ろ側の筋肉を強化しましょう

ひざが伸びると足が底屈できる（足の甲が伸び、蹴ることができる）。

ひざが曲がると足の底屈がしづらい（蹴ることができない）。

蹴ることができないと、体の後ろ側の筋肉が作られないのですから、ひざが痛くなっていくのは目に見えて明らかです。

ひとつ疑問が。ではひざが過伸展していたらどうなるのでしょうか？　蹴りは強くなるのでしょうか？

いいえ、ひざの過伸展が強すぎる場合、足が底屈状態になり、ひざを伸ばす大腿四頭筋とひざを曲げる腓腹筋、ヒラメ筋、足底筋ばかりが張ってしまうのです。

腓腹筋が弱化すると前かがみの姿勢になり、ヒラメ筋が弱化するとひざ過伸展になります。

ハムストリングやヒラメ筋の筋力が低下してもひざは過伸展するので、膝窩筋を鍛えつつ、体の後ろ側を強化するようにしていきましょう。

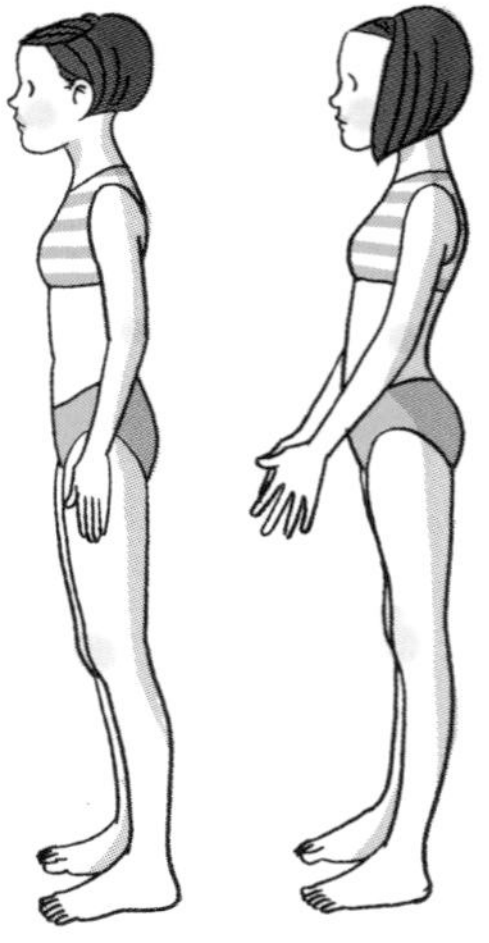

右がヒラメ筋の弱化による過伸展、左が腓腹筋の弱化による前かがみの姿勢。

【動き方４】蹴る力をつける！

下半身を起こせる力は「蹴る力」

ここまで読んでいただくと、ひざ痛を引き起こしてしまった体に足りなかった筋肉がなんとなくわかってきたと思いませんか？　年齢とともに変わる体形。たるみが出るのはどこでしょう。目立ってわかるのは、下半身だと「ひざ」「お尻」「お腹」、上半身だと「胸」「二の腕」「首・頬《ほお》・口角・目じり」。明らかに若い人とは異なってきます。日常の動作も若い頃のようにはいきません。朝、ベッドから起きるのがつらい方も多いことでしょう。

ところが下半身をすっくと起こせる筋力さえあれば、上半身も起こせるのです。

それは「蹴る力」です。運動靴を履く際につま先を入れ、かかとを踏み込むときに痛むひざ。しっかり紐を結んだ靴を脱ぐときも痛むひざ。どちらの動きにも必要なのは「蹴る力」です。今この時点でひざ痛を抱えているならば、加齢の進行が早くなると思ってください。だからこそ鍛えていきましょう。

蹴る力を強くする5つの動き

蹴る筋肉がわかる動き

①テーブルや壁などに手をつき、少し腰をかがめます。足を前後させ、両かかとを少し上げた状態で、前足の指と指の付け根を床に押しつけながら後ろ方向へ力を入れます（位置は変えない）。後ろ足は逆に前へ力を入れ、位置は変えないで両足を引きつけ合うようにします。

前足は「ものすごく細かいゴミをほうきを押しつけて掃く」イメージにして、足の指は曲げないでしっかり伸ばしてください。足の指の腹が床につくようにしましょう。つかな

ほうきの掃く部分が足指の腹、繊維の根元が足指の付け根のイメージで行う。

①前足のかかとを少し上げ、指の腹と付け根を床に押しつけながら後ろ脚方向へ引きつける。

い方は無理をしない程度に足の指を伸ばしていきましょう。【基本3】のかかとと同じです。

②今度は前足の甲を少し高くして同じようにやってみましょう。だんだんふくらはぎや太もも裏（ハムストリング）、お尻に力が入ってきたのがわかります。骨盤が反りすぎていたり、下がりすぎたりしているとわかりにくい場合があります。いろんな角度でやってみましょう。

③前足を少し後ろに下げ、さらに甲を高く上げて足の指を押しつけ、引き合います。

④両足が並ぶところまで来ました。甲がしっかり上がると【基本1】で説明したウィンド

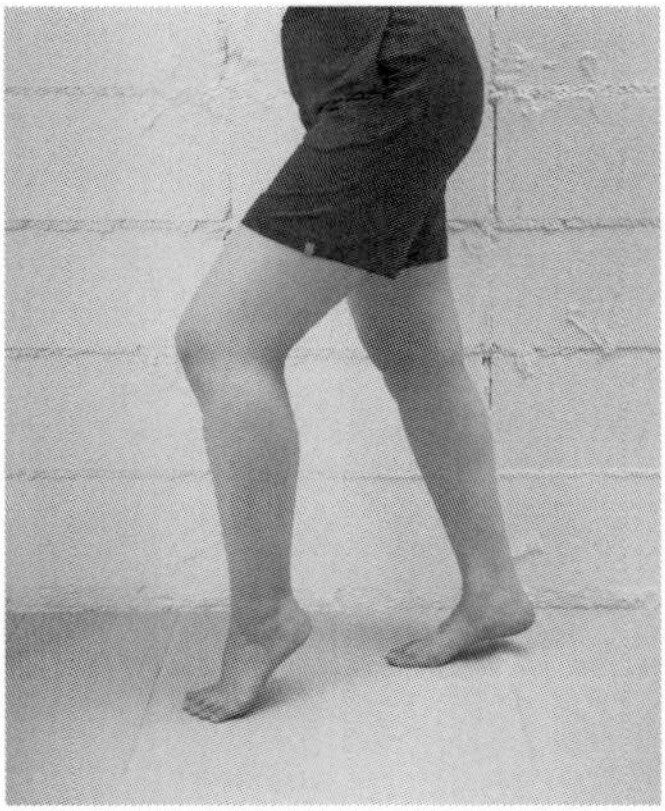

②前足の甲を上げて引き寄せ合う。【基本3】を思い出そう。

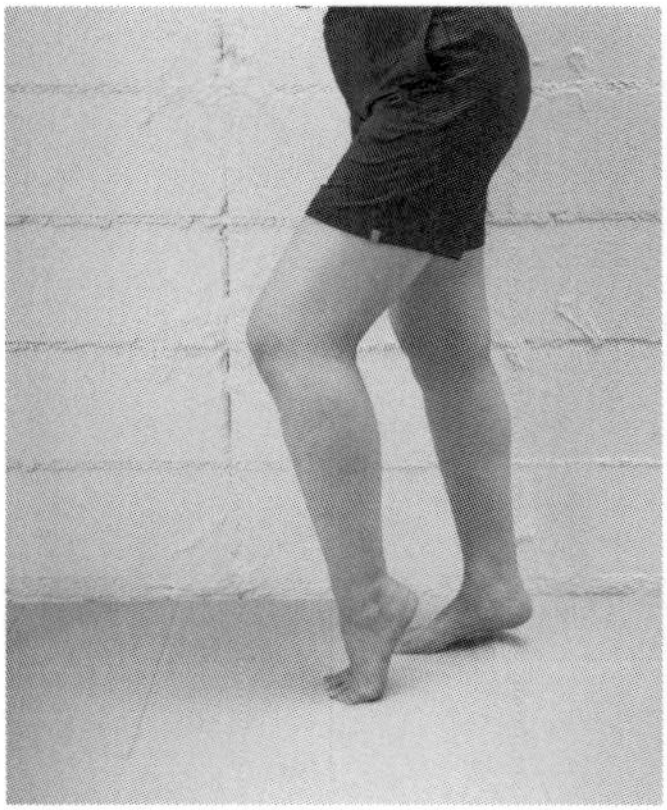

③前足を手前に引き、さらに甲を上げて行う。体の後ろ側に力が入る。

ラスメカニズムが働き、土踏まずが上がります。

⑤最後はしっかり足の指の付け根を床に押しつけたところから、足の指で床を掃くようにして後ろに蹴り上げてみましょう。

なんだか運動とはいえないような動きなのですが、実はかなりの運動量です。足裏には力が入り、蹴るときに足裏は伸ばされるので（押しつけているぶん、伸ばされ感が増す）、「縮め伸ばし」が行われるのです。「蹴る」際に使われる筋肉の神経回路を取り戻しましょう。

さらに「蹴る」で使われる体の後ろ側の筋

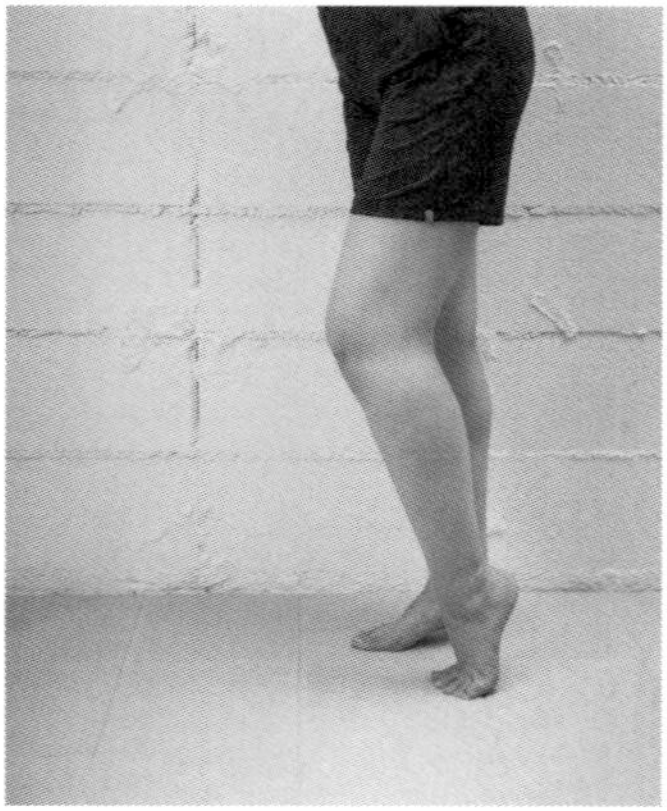

④両足が揃った位置でも行う。ひざが内側に入らないように気をつける。

⑤床をこするように足の指と付け根で蹴り上げる。

肉を強化していきます。

　そしてこの運動を行ったあと、歩行の様子を動画で確認すると、100%の確率で無理なく歩幅が広がります。「蹴る」という感覚を足指の腹でわかると本来持っているバネがよみがえるのです。

　ウォーキングやジョギングで、ひざ痛が悪化したり、脚が太くなってしまったりするのは「蹴る」感覚がわからないまま、間違った歩き方や走り方を続けているからなのです。

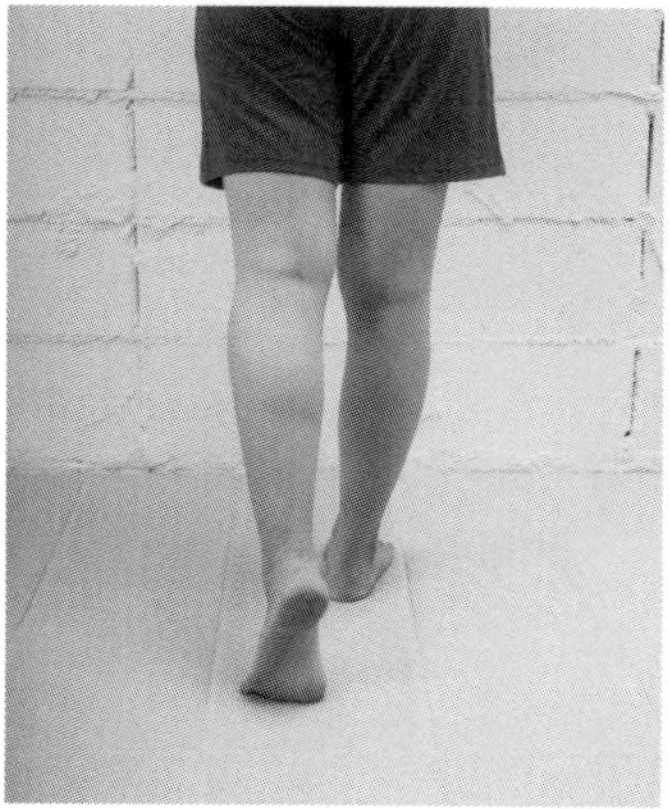

足の裏全体でペタペタ歩くのと、蹴る感覚がわかって歩くのとでは作られる脚の形が異なる。

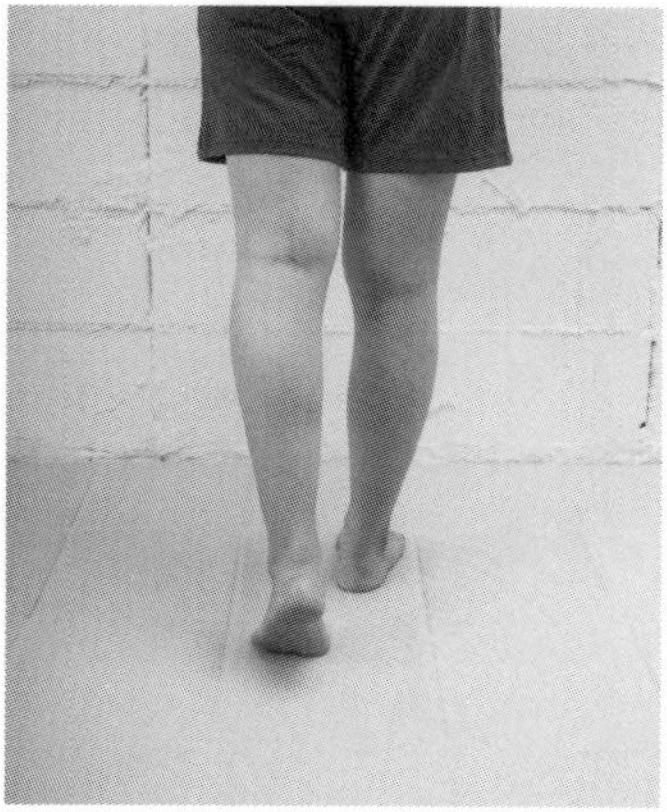

足の指で踏ん張って歩くだけでは太もも前が太くなる。【動き方3】を忘れずに。

股関節伸ばしとハムストリングの強化

股関節伸展ストレッチからの太もも裏の筋力トレーニングです。

①床に腰を下ろし前脚はひざを曲げ、できるだけ腰を落とします。後ろ脚の太ももは転がすように外側や内側に向きを変えつつ、股関節を伸ばします。鼠径部が伸びるようにしましょう。ひざの痛いところを直接床につけるのではなく、固くなっているところを伸ばすようにひざを床につけます。お腹に力を入れて腰が反らないようにします。

②後ろ足のかかとを上げていきます。ふらつくようであれば何かにつかまってやりましょう。太もも前の筋肉が「縮め伸ばし」になるようにします。ひざのお皿の上あたりを床につけ、前へ少し移動するようにすると腰骨あたりまで伸びるのを感じます。お腹を反らさないようにすることがポイントです。

③ひざを曲げ、足首も曲げてかかとを上げようとすると、太もも裏にあるハムストリングに力が入ってくるのがわかります。

太ももの前の筋肉のうち、ひとつだけが骨盤についていましたね。それが【動き方3】で説明した大腿直筋です。この筋肉を伸ばしましょう。

①【動き方3】の大腿直筋を思い出して、そこが伸びるようにひざを床につける。

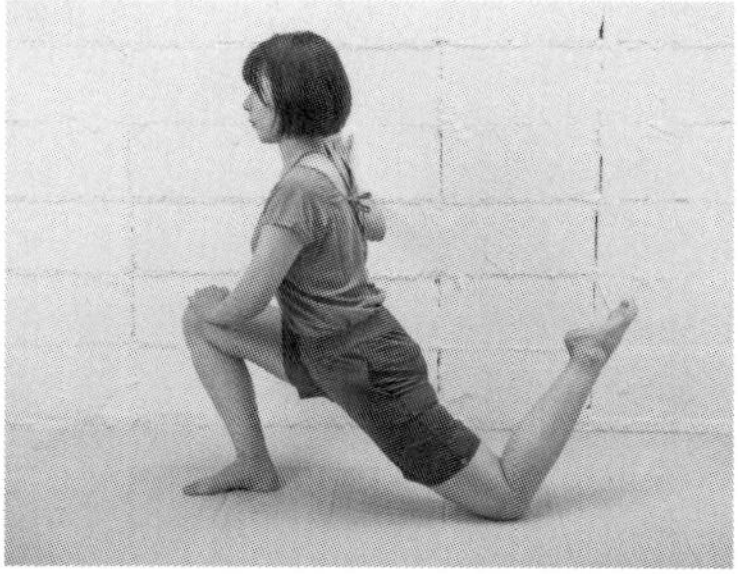

②かかとを上げていく。太もも前の筋肉が「縮め伸ばし」になるよう、ゆっくり行う。

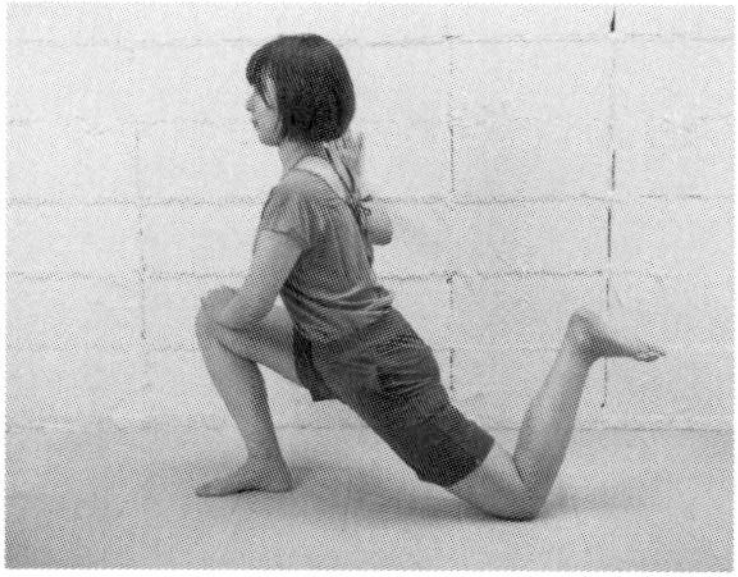

③足首も曲げると今度は太もも裏（ハムストリング）が動き出す。

片脚を斜め後ろに伸ばす動き

①テーブルなどに手をつき、足を揃えて立った状態から、片脚の太ももを外側に回しながら斜め後ろに伸ばしていきます。

②骨盤は正面を向いたまま、ひざを曲げないように、お腹に力を入れてゆっくり、できるところまで脚を上げます。正しく行えば体の後ろ側に力を入れることができます。反対の足でも行います。

脚にチューブ（193ページ参照）をつけると「負荷」が加わり、力が入っているけれど伸ばされる「縮め伸ばし」になり、数回行うだけで十分なトレーニングになります。

①太ももを外に回す。骨盤の向きは自分のタイプに合わせる。軸脚も太もも外旋を意識する。

②ななめ後ろに脚を伸ばし、できるところまで上げる。

台に手をついて片脚を斜めうしろに蹴る動作も筋肉を強化できます。軸になっている脚のひざが内側に向かないように、しっかり太ももを外旋させて支持します。

立ち上がる

本書の冒頭で触れた「立ち上がるってどうやってやるんだっけ……」がまさしくこれです。ひざが痛くて、今までどうやって立ち上がっていたかも思い出せなくなっていました。ところがつま先を上げるだけで、痛みなく立ち上がれたのです。

理由はもうおわかりですね。体の後ろ側に自動的に力が入るので、ひざへの負担が減ったからなのです。すなわち、この「立ち上がる」という動き自体がトレーニングになるということを意味します。私も本当に何度もやりました。まだ筋力がなくて不安定な場合は、どの運動のときもそうですが、ためらうことなく何かにつかまってやりましょう。

立ち上がるトレーニングは98ページでも紹介しましたが、さらに詳しく説明していきましょう。

①片ひざを床につきしゃがみます。このとき前足のつま先は上げます。後ろ足も足の指で支えるので土踏まずができますね。

②ゆっくり立ち上がります。後ろ足の指は伸ばしてしっかり蹴りますよ。

③最後に足を揃えます。

④反対の足でもやってみましょう。

ポイントは、太ももをほんの少しでいいのでしっかり外旋したまま行うことです。そうすることによって、お尻に力が入りやすくなるので体幹が安定します。この点を意識していないと、O脚の人はこういった動作のときにも太ももを内旋させて立とうとします。そうした細かいクセがひざを悪くさせるので、動作の中でひざが内側に入る人は注意して運動しましょう。そして体の外側から締めていくようにしましょう。

①片ひざを床についてしゃがみ、つま先を上げる。

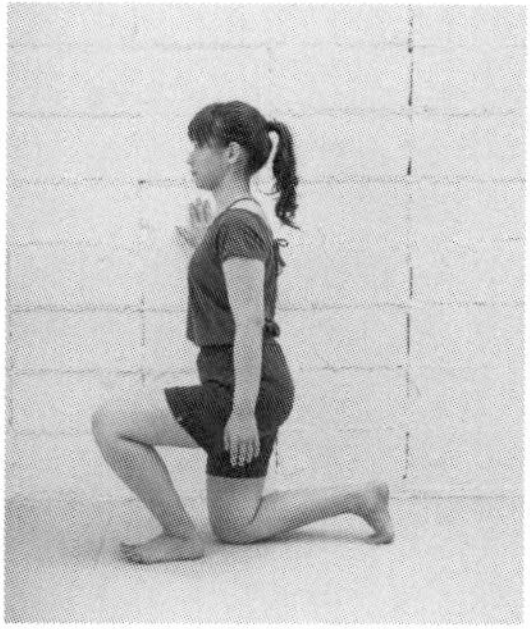

②体の後ろ側を使って上体を起こし、ゆっくり立ち上がる。

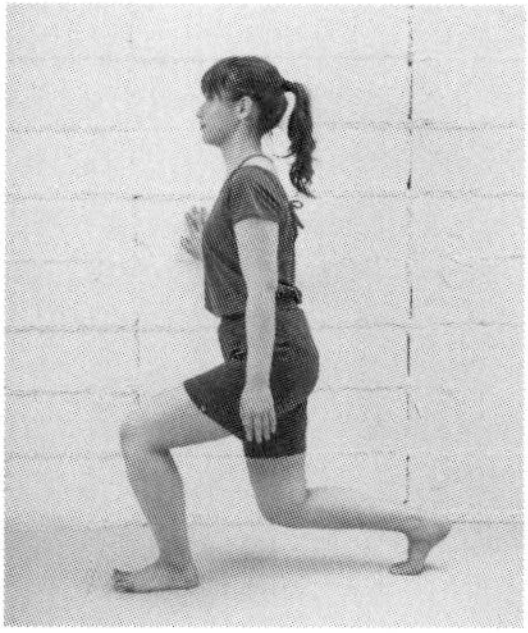

②の続き　後ろ足の指は伸ばし、しっかり蹴るように立ち上がる。

③後ろ足を引き寄せる。

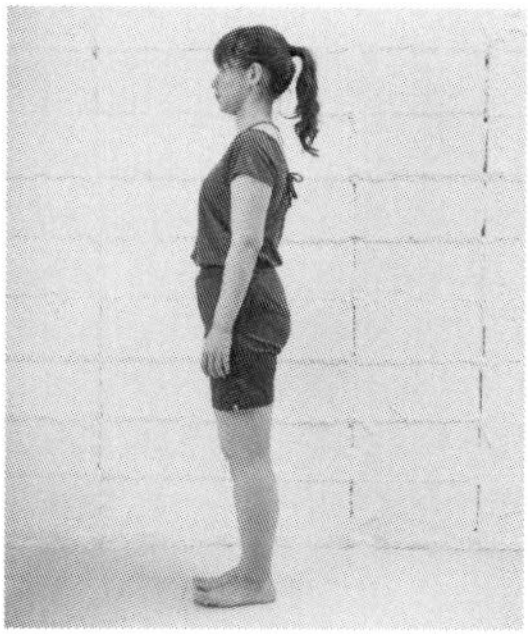

④反対の脚でもやってみる。

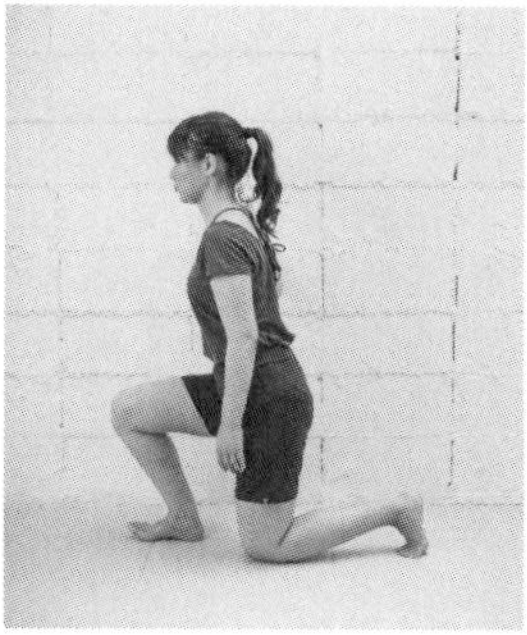

【悪い例】前かがみになるとひざに負担がかかる。

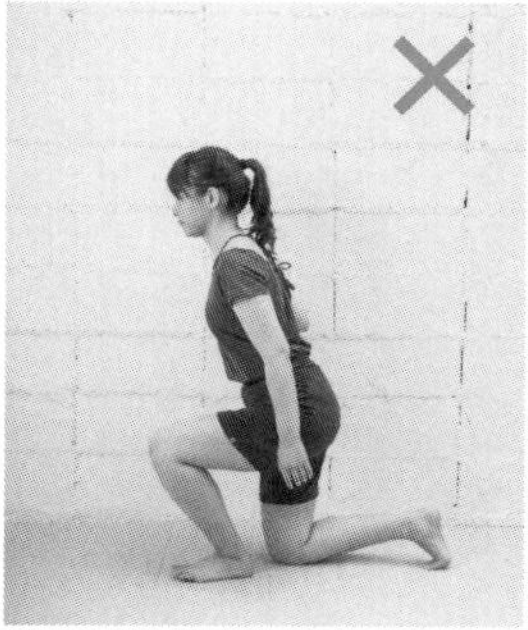

前に跳ぶ動き

前に跳ぶだけです。ここまでの足裏の使い方を理解していれば、遠くに跳ぶことができます。

「後ろ足の甲をしっかり上げて蹴って」といってもなかなか上がっていないことが多いのですが、やっているうちにコツはつかめます。着地の前足は「かかと」なのか、「足裏全体」なのか、「つま先」なのか悩むと思います。着地ではひざに負担がかかるので、ウォーミングアップ程度の軽さで跳んでみて調整してみてください。足裏のバネを思い出させるための運動です。

人は体の下のほうから汗をかかなくなって

①後ろ足で蹴って前に跳ぶ。足の指は曲げない【動き方1】参照。

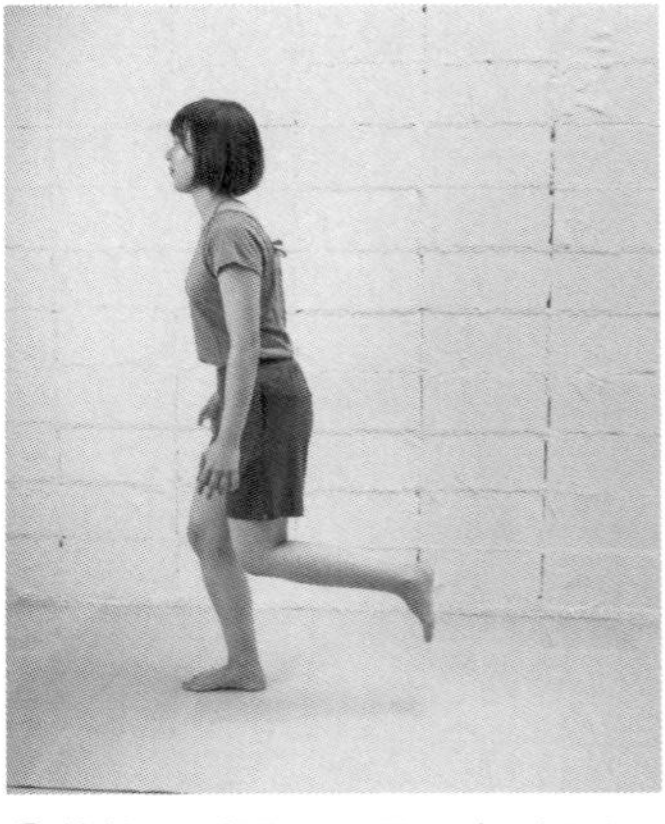

②着地の瞬間、お尻に力が入れられるようになれば、ひざの痛みも減少する。

いくといいます。足裏がカサカサ乾いてくると、このような動きをしたときにすってんころりんと転んでしまう場合が少なくありません。どんなところでも着地は気を抜かないようにしましょう。最初のうちは、跳ぶ幅が狭くてもいいのです。

普段、ここまで「蹴る」ということを意識している人はいないのではないかと思います。ペタペタと足裏全体で歩き、足の指が機能していないので、いわゆる「浮き指（立ったり歩いたりしたときに、足の指が地面につかない状態のこと）」になってしまうのです。「蹴る」という動作の中で、足の指をどのように使うかがあまり論じられていなかったためかもしれません。足の指については【動き方1】で説明した通りです。

ひざ痛改善に「蹴る力」が必要な理由

股関節を伸展させたほうがいいということは【動き方3】で説明しました。ストレッチと筋肉強化は異なります。体が柔らかいのに関節の障害が多いという人がいますね。宇多田ヒカルさんが自分もそうであることをツイッターでつぶやいたので、少しは世間に知れ渡ったかもしれません。

体が柔らかすぎて正しい位置で止められないために関節障害を起こし、痛みが出てしまう人がいます。こういった人に多いのが筋肉の力のなさです。股関節の伸展のストレッチも大事ですが、伸展させる筋肉を鍛えることも大事なのです。それが後ろへ「蹴り上げる力」なのです。陸上選手のスタートを思い出してみましょう。

まずはスタートです。思いっきり足裏で蹴らなくては前へ進めません。足の関節は「底

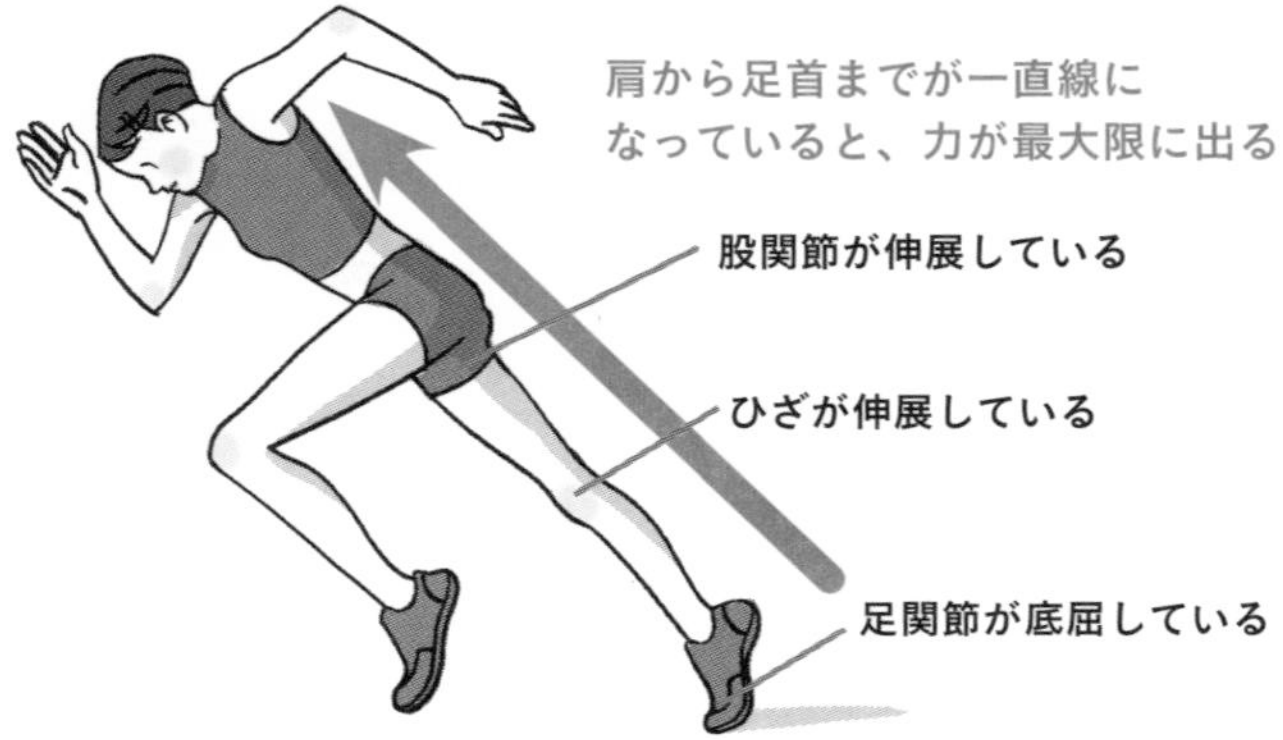
肩から足首までが一直線に
なっていると、力が最大限に出る
股関節が伸展している
ひざが伸展している
足関節が底屈している

足関節を最大限に底屈するには、ひざが伸び、股関節が伸展している必要がある。踏み切る力は全身で。

屈」（足の甲を伸ばす）し、そのときのひざは伸びています。ここでひざを曲げてしまうと、足の蹴る力は弱まります。股関節の伸展のところで、太ももが太くなる理由を説明しました。そこでは股関節とひざ関節の伸展のパターンでしたね。今度はひざ関節の伸展と足の底屈との関係です。

【動き方3】では、股関節の伸展からの目線で階段の下りの難しさを書きましたが、今度は足を底屈する「蹴る」という動きから考えてみましょう。

足の底屈はひざが伸びているほうがやりやすいということは前述の通りです。階段を下りるとき、段差の具合によってひざを曲げたりする場合がありますよね。だから蹴る力の弱いひざ痛持ちにとって、階段を下りるという動作はとても難しい動きになるのです。

階段の下り方も自分の苦手なところが意識できるようになると克服できます。

コラム⑦

アヒル座りができる人はご用心！

右の写真のような「アヒル座り」ができる人は大腿《だいたい》筋膜張筋《きんまくちょうきん》が縮んでいるかもしれません。

大腿筋膜張筋とは腰骨の近くにある筋肉です。そんなに大きいものではないのですが、腸脛靭帯《ちょうけいじんたい》につながってひざにつきます。

この筋肉は歩行中やランニング中に足がまっすぐ前に出るようにする役割を担っています。ということは、この筋肉に問題がある人は歩行中などに脚をまっすぐに保てない、ふらふらする、ひざが揺れる、お尻が揺れる、ということになります。ひざに負担がかかるのは目に見えています。そのまま放っておくと股関節にも影響が出るでしょう。

こうした方たちは脚を外転させるのがとても苦手です。ひざが内側に入っているのに、しゃがみ込むのが苦手でお腹がぽっこり。前述した軽いX脚の定義、「股関節は内側に向き、ひざがくっつく。そして両足は扁平足になり、足部は『そとわ』（つま先が外に開く）になっている」人に当てはまります。

このタイプで筋肉の柔らかい人であれば「アヒル座り」が得意なことは容易にわかります。

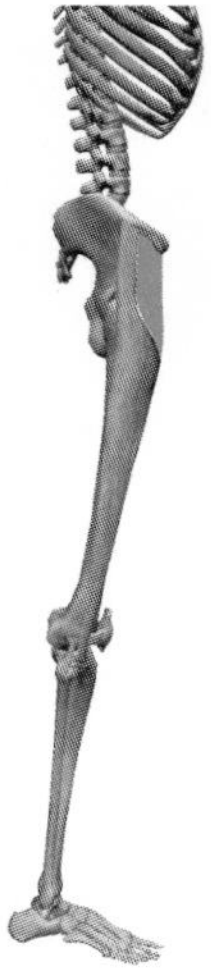

股関節を外転・屈曲させる筋肉
大腿筋膜張筋

◯股関節の外転、屈曲。屈曲と同時に内旋する。
◯他の股関節の屈筋が働く際に、この筋は股関節が外旋するのを防ぐ。
◯歩行やランニング中に足がまっすぐ前に出るように導く重要な役割を果たす。

ところがこの座り方がクセになっていると、さらにこの大腿筋膜張筋が短縮していくので、なるべくやめるようにしたほうが賢明です。

大腿筋膜張筋を鍛える「脚の横上げ」

次にご説明する【動き方5】の189ページの運動は寝ころんだ状態で片脚ずつやっているので安全です。内側が伸びないのもひざ痛の原因なので、目的をしっかり持って運動しましょう。

ではヨガの姿勢によくある「あぐら座位」はどうなのでしょう。やはりこの肢位も、こればかりしていると縫工筋という筋肉の短縮を進めてしまうので、いつも同じ姿勢にならないようにいろいろ変えてみましょう。

大腿筋膜張筋を鍛えるには、とにかく「脚の横上げ」(外転)です。お腹を凹ませて行うとサイドの腹部にも効くので、ひざ痛緩和とお腹ぽっこり対策の両方におすすめです。

【動き方5】ひざをふらふらさせない！

脚がまっすぐな人のひざは揺れない

歩行を動画で撮影していると、ひざがゆらゆら揺れている人が多く見受けられます。

「みんなそうじゃないの？」

と思われる人のために「ひざが揺れない人」の歩行動画を見てもらうのですが、まず皆さんが気づかれるのは、

「脚がまっすぐですね！」

ということなのです。バランスのいい形の脚をお持ちの方はひざが揺れない。これまでのデータで判明したことですが、間違いなくそう言いきることができます。

ひざをふらふらさせる人は結果的にお尻もふりふりしている場合が多く、後年になってから股関節まわりのトラブルが心配です。この方たちの特徴は、脚を横に上げることが苦手ということです。

脚を横に上げる5つの運動

横になったら必ず脚を上げる

①横になります。背骨がまっすぐになるように頭にクッションなどを入れます。足は背屈させます。体が曲がらないように手で支えます。下になる脚は、体が不安定ならひざを曲げてもかまいません。下の股関節も外旋状態になるようにしたいので、できれば脚を伸ばします。

②真横に脚を上げていきます。速く上げてゆっくり下げるのが基本です。

お腹は反らさないように凹ませておくことを忘れないでください。骨盤の向きを意識しましょう。下の足のかかとから足の小指のラインにも力を入れて床につけ、体を安定させます。

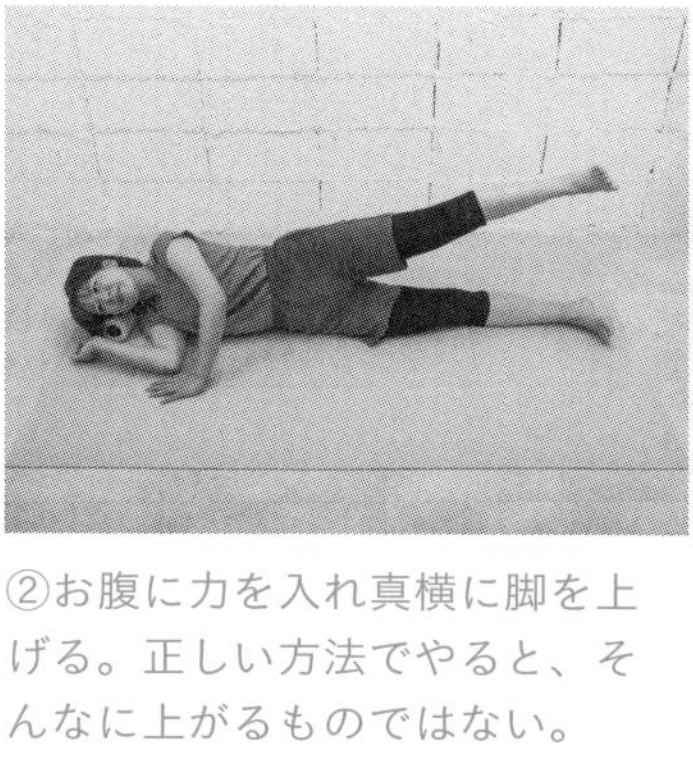

②お腹に力を入れ真横に脚を上げる。正しい方法でやると、そんなに上がるものではない。

①背骨がまっすぐになるようにクッションなどで調節する。

人によって大腿骨の向きが異なるので、自分にとって一番きつい角度で上げてみます。慣れてきたら脚を斜め後ろに上げたり、真後ろに伸ばしてみたりすると、鍛えられる部分が変わるので、ヒップアップも期待できます。

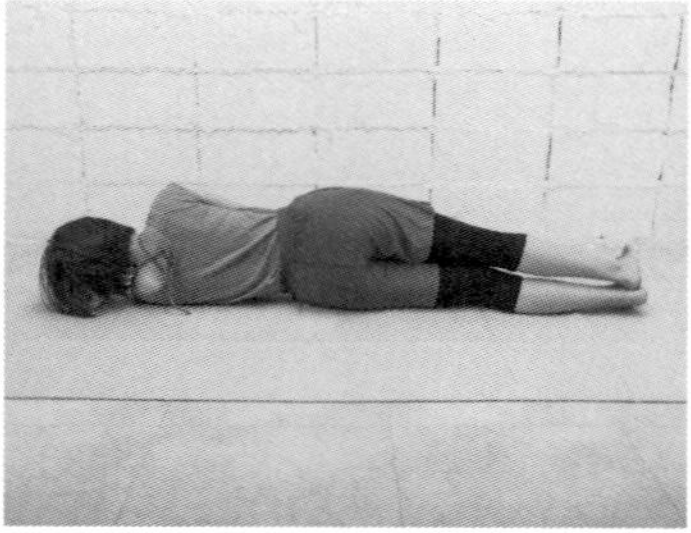

太ももを外側に回すようにして脚を上げるとお尻に効く。

自分の骨盤の角度を意識して、いろんな角度でやってみよう。

ひざを内へ外へと開く動き

①足を開き、ひざを軽く曲げて立ちます。お腹を凹ませ、上体を起こします。つま先を上げると、体の後ろ側に力が入ります。骨盤の位置は自分の骨盤が前傾か後傾かに合わせて、腰が痛くならないようにしましょう。

②両ひざを内側に向けたり、外側に向けたりします。

運動は自重《じじゅう》で行うほうが危険は少ないのですが、より筋力をつけたい場合、写真のようなチューブ（193ページ参照）があれば、トレーニング効果をアップできます。まずは、チューブなしでやってみましょう。

①頭を起こし、つま先を上げ、ひざを開いて軽く曲げて立つ。

②さらにひざを外に開く。ひざの痛みに応じてゆっくり行う。

ひざの内側を伸ばす動き

①あお向けに寝て両ひざを立てて寝ころび、片脚のひざの内側が伸びるようにひざを広げ、ゆっくりひざを床に近づけます。無理に床につけるのではなく、ひざの内側を伸ばすことを目的にやってみましょう。足はつま先が外に開く「そとわ」の形になります。

②反対側の脚でもやってみましょう。

①この姿勢は本来良いものではないので、ごく軽く行うこと。

②反対側でもやってみて、どちらが固いかを知る。

ひざを曲げ、股を開いて前へ後ろへ歩く

①軽くひざを曲げ、体を前に倒し、お腹を少し凹ませて立ちます。
②その姿勢のまま目線は前に向け、お相撲《すもう》さんのすり足のように、足をスライドさせながら片足ずつ斜め前へ歩を進めます。前へ進んだら、今度は後ろへ同じく足をスライドさせながら斜め後ろへ歩を進め、下がってスタート地点に戻ります。
ひざにチューブをつけて行うと、運動効果が上がりますが、なくてもかまいません。

①②お相撲さんのすり足のように片足ずつスライドさせて前へ進む。進んだら同様に後ろへ。

チューブはスポーツ店やネットなどで購入することができる。

脚を横に上げる

①脚を肩幅に開いて立ちます。
②右へ左へと交互に脚を真横へ上げます。
　足首にチューブをつけて行うと運動効果が上がりますが、なくてもかまいません。

　何でもない動きですが、意外と体の横側の筋力が落ちていることに気づくと思います。お腹がポッコリしている人の苦手な動きでもあります。この運動に必要な筋肉がどんな筋肉なのかについては、186ページのコラム⑦「アヒル座りができる人はご用心！」で説明しています。

①②ひざが内側に入らないように、お尻に力を入れて行う。

慣れてくればスクワットの姿勢から脚を広げることもできる。

第5章

ひざ痛を治すための考え方

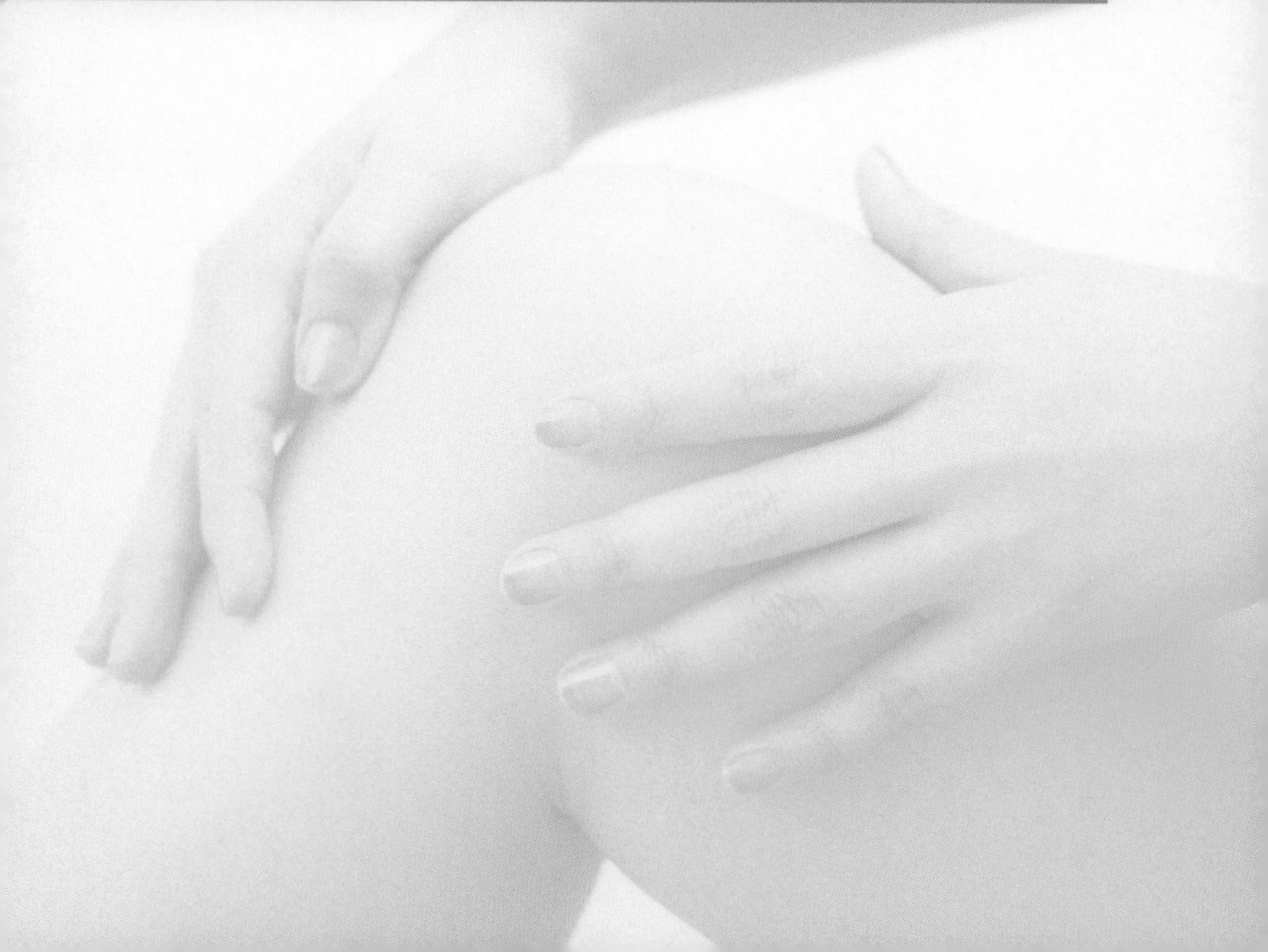

今からどんどん考え方を変えていけばいいのです

ひざ痛に悩む方へ、私からのアドバイス

これまで、ひざ痛について次のように思っていた方々へのアドバイスをします。

●動かすとより痛みがひどくなると思って動かさなかった。

動かさないと筋肉はどんどん固くなります。加齢が進むとどんどん悪化も進み、ひざの形も変形していきます。効果のある運動は痛みも生じにくいですから、正しい方向へ動かしていきましょう。

●家にこもって痛みが引くのをじっと待っていた。

どのように動いても痛いのですから、じっとしていることが多くなりますね。動きはじめが一番つらいので、まずはつま先を上げて足のバンダを行い、体の後ろ側を目覚めさせ

てください。意外にそのあとは動きやすくなりますよ。「こうすれば痛くない」という感覚を実感してみてくださいね。

●患部を動かさないようにするためにサポーターをしていた。

サポーターやテーピングは不安定なひざを安定させてくれるので「今日は動かなければいけない」というときなどには有効です。しかし、目的はサポーターのない状態で動くことです。いつまでも着けている人をたまに見かけますが、不安がらず、サポーターなしで動ける体にしましょう。

●痛いから足を引きずるように歩いていた。

どうしてもそうなってしまう場合は仕方がないのですが、これを続けているとバランスがくずれ体のあちこちが凝ってしまったり、全身が疲れやすくなります。正しく「かかと」から「足の指」までを使って、蹴るように一歩一歩丁寧に歩いてみましょう。

●**だらだらペタペタ歩いていた。**

メリハリのない歩き方は体を疲れさせます。足裏のバネが使えないので足裏全体に床からの力がかかり、その衝撃が貧血を引き起こします（足裏や体に衝撃を受けることで赤血球が壊れてしまい、貧血発症の一因になることがあります）。扁平足の人には血行不良が多いので、だらだらペタペタ歩きにならないように気をつけましょう。鉄分の補給も忘れずに。

●**ペタンコ靴ばかり履いてかえって痛くなった。**

ヒールのある靴ばかりを履き続けてきた人は、ふくらはぎの筋肉（腓腹筋、ヒラメ筋）の短縮が生じる傾向があります。寝ているときに足首の甲が伸びきってしまう人がいますが、こういう方たちが「健康のため」と考えて急に平たい靴を履くと、かえって痛みを引き起こす場合があります。クッション性の高い運動靴を選び、なおかつふくらはぎの筋肉のストレッチとつま先を上げる力をつけましょう。

●お医者さんが治してくれるものだと思っていた。

整形外科などの病院に、足や脚の形、歩行や体のクセなども考慮したうえでのアドバイスを期待するのはなかなか難しいでしょう。個人に合った運動方法を教えてもらう時間などもなさそうです。鏡の前に立ったときやウインドウショッピングのときに、自分の姿勢や歩き方のクセを見てみましょう。老けて見えたら、実践に取りかかりましょう。

●ひざが痛いから、立ち上がるときに足の指をギュッと丸めて、地面をつかむように立っていた。足の指を曲げて踏ん張らなくてはと思っていた。

それが安全だと思いますよね。誰からも教わったことがないのですから。足の指を曲げると足裏のアーチが落ちるので、結果的に体の後ろ側に力が入りません。だからひざに重心が集中します。安全だと思ってやっていたのに、よりひざには厳しいことをしていたわけです。足の指は伸ばして立ちましょう。

●O脚やX脚なのに、ひざの伸展運動ばかりしていた。

ひざが過伸展しているのに、それ以上やると悪化します。O脚もX脚も太ももを外側に回す力に問題があるのです。蹴る力も含めて、適切な運動に切り替えましょう。蹴る力を鍛えましょう。

●ひざが痛いので、注意深く足元を見て歩いていた。

頭は重いのです。うつむいてしまうと体の後ろ側に力が入りません。それにひざに重心がかかるのでさらに痛くなります。思い切って首を起こしましょう。首を起こさないかぎり、お尻にも力が入りません。そのために足のバンダやかかとを引く動きをしましょう。

●ひざに溜まった水は、注射で抜くしかないと思っていた。

水はいずれ体に吸収されます。自分でしっかりアイシングをしましょう。氷水（0℃）で20～40分くらい、痛みの感覚がなくなるまで冷やしてください。

●炎症があるときに冷やすのは、病院で渡された湿布でいいと思っていた。

症状がひどいときは、湿布よりアイシングのほうが有効です。

●ストレッチと筋力をつけることの違いがわからなかった。

ストレッチをすることによって血管が伸び、血流も良くなることがわかっています。とても良いことなのですが、体が柔らかいだけで、筋力のない人が男女を問わずいます。加齢とともに筋力が落ちていくと、免疫力の低下にも関わってきます。呼吸の方法もストレッチと筋トレでは異なります。

●正しい方向に動かせと言われても、正しい方向がわからないからやりたくない。

まず、筋骨格が正しい位置にあり、正しく動かせば痛みは出にくいものなのです。外反母趾やO脚、X脚といった不良肢位が出てくると、別の部位に無理がかかって痛みが出やすくなります。「正しい形にする」という意識を持つと、どの方向に動かせばよいかがわかりやすいと思います。

●**どうせ齢《とし》だから、痛いのは当たり前だと思っていた。**

レントゲン撮影をして、明らかに関節のすき間がなく変形性ひざ関節症なのに、痛まない人もいます。その方たちに共通なのは筋力があるということです。最近の研究では80〜90歳になっても筋力をアップできることが報告されています。

●**やりたくない運動がある。**

汗をかくのがイヤ。う〜んと力を入れるのがイヤ。息を吐くのがイヤ。あれはやりたくない、これもやりたくない……といろんな方の声を聞いてきました。しかし、正直やったもの勝ちです。

今から1年後、5年後、10年後。やればやっただけ身体は変わるし、やらなければ生活の質（QOL）は上がりません。痛みから解放されるように頑張りましょう。

どうしてこんなに痛みが続くのでしょう？

痛みが長引くと「生活の質」が下がる

あなたは、ひざが痛くなるとどんな気分になりますか？
私自身の体験や患者さんから聞いた話では次のようなものがあります。

- このままずっと痛いままなのかと不安になる
- 予定があるのに、当日までに治せるのかとあせる
- 旅行しても行動が制限され、まわりに迷惑をかけているような気分になる
- やりたいスポーツができなくなって悲しい
- なんだか老けたような気持ちになる
- 外に出る気にならない
- どこも痛いところのない人がうらやましい

・人に会う回数が減る
・立ち話をするのもつらいから、人とおしゃべりする回数が減る
・運動をしなければならないのはわかっているのに、できない自分に自己嫌悪感が増す
・ひざをかばっているうちに、腰も痛くなってくるのではないかと不安が増す
・人との会話の内容が、ひざや腰や肩といった体のことばかりになる
・病院に行っても、これで治るのかと疑問に思って不安になる
・気持ちがふさぐ
・顔の表情が険しくなってきた

痛みは苦痛です。我慢しているうちに冷や汗や脂汗が出てくることもあります。苦痛は不快です。不快な感覚は身体にストレスとして働き、蓄積されていきます。このような状態が続いていくと、生活の質自体も下がっていきます。

数カ月、数年とその痛みが長くなればなるほど、もやもやとした気分にさいなまれます。これはひざだけではなく、私自身も四十肩や五十肩のときに経験しました。

腰痛で悩んでいる人も、痛みではないですが、尿もれや尿失禁で悩まれている方も、このもやもやしたすっきりとしない気分が続いているのです。生活していく中で片時も忘れることができないほど、その「痛み」や「不快感」を感じている「心」がそこにあるのです。それを周囲の人に言えなかったり、言えたとしてもなかなか本当の意味でわかってもらえない、そのがっかり感が続くのです。こういった「心の闇」が、どんどん「痛み」に対して敏感に働いていくのでしょうか。

「痛み」については第2章でも少し触れましたが、最新の「痛み」の研究についても理解しておくと、案外楽に「痛み」から解放されるかもしれませんよ。

痛みの正体とは？

ひざ痛が起こる人の脚は変形しています。ということは、弱化している筋肉があるということです。その筋肉を使えるようになれば、痛みを感じにくいのではないか、というのが基本の考え方です。例えば扁平足の人は、足裏の筋肉が使えていないわけです。

だから**座るとき、立ち上がるとき、階段を下りるとき、上るとき、電車の中などゆらゆらするときに、あえて足裏からふくらはぎ、お尻といった体の後ろ側を使うようにしてみると、ひざの痛みを感じなくなります。**

動きをひざまわりの筋肉だけで頑張るのではなく、その周囲の休憩していた筋肉も働かせてみんなで仕事を分担しようよ、という考え方です。

ひざを助ける筋肉を育てると痛みは軽減し、腫れも引き、溜まった水も体内に吸収されていくわけですが、ところで「痛みの正体」とはいったい何なのでしょうか。

最近の研究では、「痛みは脳で作られている」と言われています。

ということは、うまくやれば脳をだますことも可能なのです。

体の痛みに悩んでいた人にペットを飼わせたら痛みが消えた、足がつったときなどに別の部位をつねるとおさまった、スポーツの試合が始まると痛みを感じない、試合中に骨折していても気がつかない、など挙げたらキリがないほど脳はだまされるのです。

意識を変えるだけで痛みが消える不思議

「痛み」とは不思議なものです。患者さんにストレッチや筋トレの指導をするときなどによくあることなのですが、体の固い人は座って脚を広げると、太もも内側を痛がります。ところが意識を太ももの外側やお尻に向け、脚を広げてもらうとどうでしょう。太ももの内側を広げようとするのではなく、太ももの外側を縮めようと意識するだけで痛みを感じないのです。皆さん、本当に驚きます。意識を向けることによって、その部位の筋肉を使うことが可能になるのです。

見た目で同じ動きをしていても筋肉の使い方は人によって異なるので、少しアドバイスするだけで「痛み」を回避することもできます。

では、「痛み」の正体とは何なのでしょう。

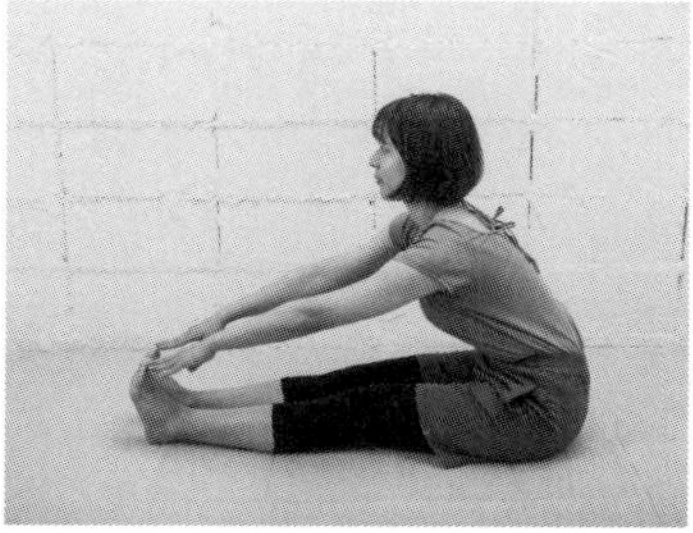

正しい動かし方でストレッチをすることが大切。

「痛み」という言葉は、一般的によく使われていますが、その実体はまだよくわかっていないようです。さらにその仕組みとなると、ごく一部しか解明されていません。身体に炎症や血の巡りの悪い部分（虚血）があると痛みを感じます。糖尿病や痛風などは、食べたもののカロリーをエネルギーに変えるプロセス（これを代謝といいます）が上手くいっていない病気です。こういった病気があるときにも痛みが出ます。

蹴つまずいて足の小指を打ったりしたときなどには、悶絶するほどの激痛が起きます。ところが四肢を失う大ケガをしても痛みを感じない場合もあります。事故で腕の神経を損傷したのに手を握りしめている感覚があったり（幻肢覚）、手のひらが痛いと感じたりする（幻肢痛）こともあります。不思議です。

針が指に刺さると、その刺激で侵害受容器（刺激を電気信号に変える変換器）が活性化し、脊髄と脳へ信号を送ります。でもそれだけではまだ痛みはなく、そこから複雑な過程を経て感じる痛みの度合いが決まります。針で刺した痛みは指で起きているわけではなく、痛みとして認識するのは……脳なのです。

痛みを感じるメカニズムにもいろいろあり、神経生理学的メカニズムと神経生化学的メカニズム、病理学的メカニズム、心理学的メカニズムなどがあるそうですが、**急性痛と慢性痛では感じるメカニズムが異なる**ことは知っておいてもいいと思います。

持続的な痛みがある人が変えたいのは「感情」「心」

痛みの感覚には2種類あります。切り傷による痛みのメカニズムで見ていくと、その違いがわかります。切り傷を負うと機械的に直接刺激されて、まず脳が「痛い」と感じます。次に、ひりひりとした痛みや鈍い痛みが続いてやってきます。これは皮膚の損傷部位や血液などからやってきた**「痛み物質」**が作用するからなのですが、持続的な痛み、慢性的な痛みの大部分はこの後者の痛みだそうです。

慢性的な痛みといっても、病気の種類によって伝える神経は異なるのですが、この刺激によって筋肉の収縮＝反射も起こるのです。痛みの刺激によって足を引っ込めるのは、この反射です。

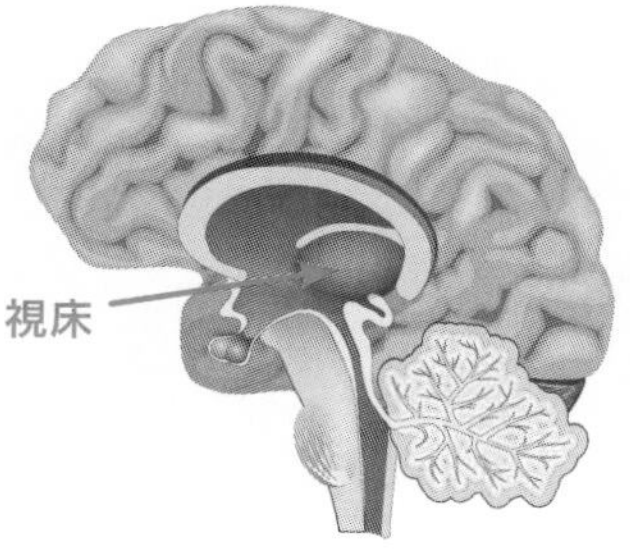

慢性痛がある人の脳は視床がうまく機能していない。

動くたび、「うっ」「うっ」と痛みを感じているうちに、体が身構えて固くなっていくように感じるのは、こういったメカニズムが存在するからなのです。

持続的な痛みがある人の脳は構造が変質しています。そのひとつは、脳にある視床《ししょう》という部分が末梢神経から大脳皮質へ感覚を中継するのですが、慢性痛の患者の場合、うまく機能していないこともわかってきています。

もうひとつは「感情」を調整する内側前頭前皮質という部位が、感覚を鈍らせる機能を失い、痛みが増幅されてしまっているらしいのです。ということは、

痛みを予感し、想像すればするほど、感じる痛みも強くなってしまうのです。

これでは悪循環です。痛みにより増幅された「感情」が、さらに痛みを増幅させるという思っても見ないこの悪循環がつらい慢性痛の原因かもしれないのです。

「痛み」と「心」は密接につながっているといっていいのでしょう。207ページで述べた、「意識を向ける場所を変えるだけで、痛みがなくなるメカニズム」とも深くつながっているのではないかと思います。このことはまだ解明できていませんが、大いに活用すべきでしょう。鎮痛薬が効くのは痛み全体の3割程度といわれています。心や意識を操るだ

けで苦痛を緩和できることを知っていれば、自分で治す自信も湧いてきますね。

空腹時には痛みを感じない

ペンシルバニア大学のアンバー・アルハデフ氏らによると、「空腹時であれば、ケガや炎症などによる慢性的な痛みを感じない」ことが、マウスの実験でわかったそうです。

・空腹のマウスは、定期的に食事を与えられているマウスと比較して、慢性疾患やケガによって感じる炎症痛をほとんど感じない。

・しかし、熱を加えたり、力を加えたりする直接的な痛みには反応する。

生きるためには食べ物を探さなければなりません。生きるために食べ物を探すときには、炎症痛を克服するメカニズムを生き物は持っているのです。痛みにはいろいろな種類があるにもかかわらず、炎症痛のみを抑えることができるなんて、やはり生きようとすることは素晴らしいことですね。

「痛い」なんて言ってられない状況に追い込まれると、生き物は痛みを感じないのです。

現代は飽食の時代です。痛みがある方、もしかして食べすぎていませんか？

痛みを忘れさせてくれるホルモン

私はひざが痛くて腫れているときも、テニスに行くことがあります。あまりお勧めできることではありませんが、最悪の状態ではなく、動かすほうが圧倒的に血流が良くなるなと決断した場合は迷わず行きます。

ただし、運動の項目で書いているように、体の後ろ側を使ってひざに負担がかからないことを第一として、自分の弱い部位をしっかり鍛えられる動きを心がけます。

とはいえ、数分もするとすっかり痛みを忘れます。それは次のようなホルモンが出てくるからです。**アドレナリンとテストステロン**です。

●アドレナリンとは

副腎髄質が出すホルモン。交感神経を刺激する。神経伝達物質でもある。別名「闘争か逃走のホルモン」。動物が敵から身を守る状態に相当するような感覚を、全身の器官にもたらすもの。いわゆる「火事場の馬鹿力」の原動力。

●テストステロンとは

男性ホルモンの一種だが、少量ながら女性にもある。チャレンジ、競争、狩猟、冒険心、旅、社会性などの気持ちを高める作用がある。テストステロンが減ると筋肉も減って脂肪が増える。テストステロンを増やすためには炭水化物が必須。胸を張って肩甲骨を寄せると、テストステロン値が上がるともいわれる。

私は決して闘争的な性格ではないのですが、テニスのときはボールに集中しているからでしょうか、まったく痛みを感じなくなります。というか、忘れます。次はこう動こう、次はこっちに、今の打ち方は失敗、今度こそこう打ってみよう……。頭の中はずっとそんな調子で、あまりの下手さに落ち込んでもひざのことは忘れていますが、やってはいけない動き（膝に負担をかける動き）をするとズキッとします。

動いたあと、当然のように痛みは戻るのですが、**体自体の血行が良くなっているので、運動前に比べて動きやすくなっています。**運動のあとはアイシングです。

コラム⑧

痛みを中医学で考える

中医学は2000年以上前に中国大陸で考えだされた理論です。それが日本に入ってきて独自に進化、発展してきたのが「東洋医学」「日本漢方」と呼ばれるものです。

中医学はたくさんの哲学（学説）の集まりなのですが、基本的な考え方は左の3つのポイントで押さえることができます。

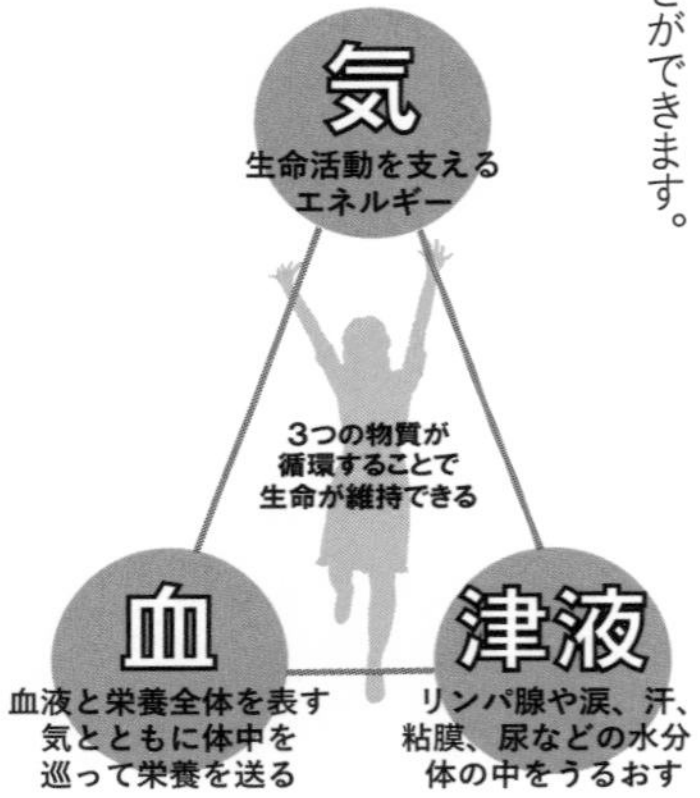

気
生命活動を支える
エネルギー
3つの物質が
循環することで
生命が維持できる
血
血液と栄養全体を表す
気とともに体中を
巡って栄養を送る
津液
リンパ腺や涙、汗、
粘膜、尿などの水分
体の中をうるおす

東洋医学のからだの考え方、ポイント①

「人間そのものも自然界の一部。だから人体の構造も自然界と同じ」

暖かい空気は上昇し、冷えた空気は下に溜まります。だから人体も頭部がのぼせたり、下半身が冷えたりするのです。自然界にも季節があるように、人間の体調も変化するのです。

自然界にあるものはすべて連動しているので、互いに作用・影響し合います。これは陰陽論、五行学説とも深く関わる考え方です。

東洋医学のからだの考え方、ポイント②

「人体は気《き》、血《けつ》、津液《しんえき》という3つの物質が循環することによって生命を維持している」

「気」は経絡を巡って身体の中をたえず循環している、人間の生命活動を支えるエネルギーのようなもの。

「血」は「けつ」と読みます。血液のことだけでなく、栄養全体をあらわし、「気」とともにからだ中を巡って栄養を送ります。

「津液=体液」は血液以外のリンパ液や涙、汗、粘液、尿などの水分のことで、からだの中をうるおす働きがあります。

東洋医学のからだの考え方、ポイント③

「人体は、肝・心・脾などの『臓』、胆・小腸・胃などの『腑』を中心に、からだ全体を連結している経絡から成り立つ」

腑は臓と対になって臓の働きを補佐する役割を担っているので、臓か腑のどちらかに障害が起きると、対となる器官にも不調が生じます。

「気」が足りなかったり、停滞したり、逆流したり、「血」が不足したり、障害が起きたり、出血が続いたり、「津液」が不足したり、溜まりすぎたり……。

バランスが悪くなるのですから、それぞれに特有の症状が出るのです。このように3つのポイントから中医学を見ていくと、「感情」が重視されていることがわかります。特に「気」の流れの中に人の心があらわれるようです。では、「気逆《きぎゃく》」「気虚《ききょ》」「気滞《きたい》」を説明していきましょう。

「気」の不調にもいろいろありますが、通常下方に収まる気が、逆流して上部に突き上げてトラブルを起こすのが「気逆」です。

【症状】

・めまい
・不眠
・動悸
・のぼせ
・イライラ

・せき
・頭痛
・げっぷ、吐き気

【原因】
・飲食の不摂生
・過度のストレス
・強い「怒り」の感情

生命エネルギーが足りない状態の「気虚」になると「不安」が強くなります。

【症状】
・気力の低下
・倦怠感
・疲れやすい
・息切れ
・身体の冷え
・食欲不振
・自汗（汗をかくようなときではないのに汗が出る）
・下痢気味

【原因】
・筋力がない

生命エネルギーである「気」が流れないのが「気滞」。臓腑・経絡・器官など、それぞれの機能や活動が働かなくなります。

【症状】
・張ったような痛み
・胃のつかえ
・膨張感
・胸が張る
・吐き気
・膀胱炎
・梅核気《ばいかくき》（のどに梅の種のようなものがあるように感じ、飲み込もうとしてもできないし、吐きだしたくてもできない症状。病院で検査しても何も見つからないため、理解してもらえない場合が多い。女性に多い）

【原因】
・体の中の水分代謝の不良
・飲食の不摂生
・血の流れの悪さ
・寒邪・湿邪に冒される
・陽の気の不足から体中にエネルギーを行き渡らせる力がない

こういった症状は、外から受ける刺激に反応して起こる、7種類の「感情」喜・怒・憂・思・悲・恐・驚（七情）による肝の機能の停滞です。

長く続く痛みには「心の解決」も必要

中医学では「感情」も診断の大事な材料です。決して症状と分けては考えません。西洋医学、中医学（東洋医学）のどちらも、長く続く痛みに対しては、「心の解決」も必要だということが解明されています。痛み以外に、今何が一番つらいかも考えてみましょう。

そして、何を食べているかでも作られる身体は変わってきます。117ページのコラム④「ひざ痛に効く食事」も参照してみてください。

あとがき

私は小さい頃から脚が太いことに悩んでいました。勉強を頑張っても、ピアノを頑張っても、運動を頑張っても、頭にあるのは自分の「太い脚」のことばかりでした。「どうして自分は人と違うのだろう?」と考え、幼稚園の頃からず〜っと50年以上にわたって男女問わず、他人様の脚を見続けてきたのです。やがて太さだけだった脚の悩みが、「O脚への悩み」に変わっていきました。なぜ脚が曲がるんだろう?

O脚を隠すために、おのずと服装もかぎられます。上半身と下半身のバランスがあまりにも悪いので、Gパン（今はジーンズと呼びますね）は憧れでした。そうこうするうちに、他人の脚を見ただけで上半身の形体がわかるようにもなり、ある種の能力かもしれないと気づいたものの、次に襲ってきたのは、扁平足、外反母趾、モートン病です。

ヒールのある靴を長時間履いたときの指先や足全体に起こる痛みは、筆舌に尽くしがたいものでした。

治療家になってからも「足・脚」の研究を続けるうちに、「なるほど〜そういうわけか、体はそういう仕組みなんだ」とわかってきたとき、自分はもう50歳を過ぎて、冠婚葬祭があるたびに履く靴で悩んでいました。ヒールのある靴から遠ざかっていると、また服装がかぎられてしまいます。

足裏のアーチがないということは……とさらに研究を進め、そこで生まれたのが耐震マット（耐震ジェル）を使ってハイヒールを楽に履くという技です。ありがたいことに、これはＮＨＫのテレビ番組『ためしてガッテン』（現『ガッテン』）で取り上げられ、「無痛ハイヒール」と名づけていただいたのでした。

せっかくの機会なので耐震マットでハイヒールを楽に履く方法を書いておきます。先日も、

「あれから余裕でハイヒールを履いています♡」

とお喜びの言葉をいただいたばかりです。お教えした直後から実感していただける簡単な方法なのですが、コツ

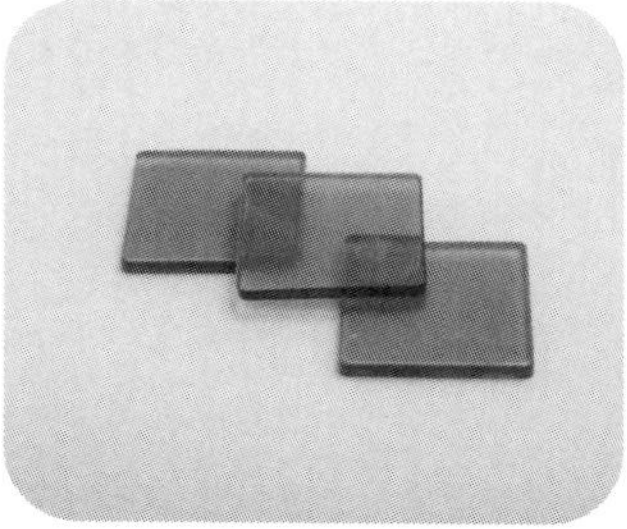

耐震マット。100円ショップやホームセンターなどで購入できる。

があります。本書の内容にも合致するのですが、要は「かかと」です。こう聞くと、「かかとに耐震マットを貼るの？」と思われるかもしれませんが、そうではありません。

本書の【基本3】で「かかとを立たせる力を作る！」がありましたね。かかとがグラグラしていると、【基本1】で書いた足裏のアーチを作る力も働かなくなるのです。それどころか、ハイヒールには傾斜がありますから、ずり落ちてしまいます。ハイヒールはつま先で歩くのではなく、本来、伸びた足の指とかかとで傾斜のある靴底をつかんで歩くという難易度の高い履物なのです。よくテレビの健康番組で少しお齢《とし》を召した女優さんが、

「もう一度ハイヒールを履いて歩けるようになりたいのよ〜」

と言って、下半身や脚・足の筋肉を強化し、履けるようになるというのはまさしくトレーニングの賜物なのです。

足裏の筋肉がなく、ヒールを履くといつも足の指先が筆舌に尽くしがたい状態になる私でした。足がずり落ちさえしなければ……と考えていたときのことです。ふと目の前のテレビの下に貼ってある耐震マットに目が行ったのです。かかとの動きを止めるのではなく、何かで引っかけて止まっていられるように、これを貼ってみてはどうだろうと。

足裏の筋肉の硬い人は土踏まずに何かがあると痛みます。ですから、かかとから土踏まずに移行するあたりに貼るのがいいでしょう。よろしければ私のホームページ（https://kikoukairo.com/）にわかりやすく説明してありますので、どうぞご覧ください。


安心して高いヒールの靴も履ける！　それはとても嬉しいことでした。しかし、根本的な脚・足の問題を放置していると、加齢とともに脚は悪化します。そう「ひざ痛」です。

私はもともと股関節に問題を抱えて生まれているのでケアが必要なのに、適当にやり過ごしていたのです。だからひざに痛みが起こったこの際に、自分が今まで抱えていた体の形の違いへの疑問や、加齢とともに起きる変化を調べつくしてみようと取り組みました。

世の中にあふれる「良い」と言われる運動の効果がないのはなぜなのか、どうしてこの運動をするのか、といったことも含めて。足の指の使い方なんて今まで習ったことがありませんから、何が正しいのかということも徹底的に調べました。

そうして取り組んでいるうちに、かなりの重症まで進んでいたひざ痛が治ったのです。

脚を美しくしたい人にも、今現在ひざが痛い人にも、まだ何も問題が起こっていない若い人にも、障害が起きないためにはどうしておくべきかを、医者ではない治療家の意見として知ってもらえたらと思って、本書を執筆しました。

原稿を書くにあたって、当院に来られる患者さんたちが写真撮影を快く承諾してくださり、本当に助けていただきました。いつも私は皆さんの笑顔から力をいただいています。

「今ね、先生に言われた通りに歩いてるんだけど、ＢＧＭは『三百六十五歩のマーチ』がいいね」

と、夜遅くに電話をくださった社長業のＡさん。私の提示する宿題を素直にちゃんとやってくださり、劇的に姿勢が変化したＢさん。ファスティングをしつつも運動は欠かしてはいけないということを本当の意味で理解して頑張られたＣさん。結局大切なのは、「運動と知識だ」ということを仕事の現場から理解されている薬剤師のＤさん。「本当にそれ、必要なんですか？」といぶかしげに始めたＥさんも体が変わりました。体の重心が変わって、好きなバレエでの動きが安定してきたＦさん……など数えきれないほどの皆さまと一緒に私も前進できました。ここに深く御礼申し上げます。

また、本書のイラストをお願いするにあたって、何度も何度も修正に対応してくださったイラストレーターの岡本典子さん、長時間にわたった撮影に尽力してくださったカメラマンの門馬央典さん、そして何より私に出版のチャンスを与えてくださったワニ・プラス編集部の宮﨑洋一さん、本当にありがとうございました。

最後に、いつも私を信じて助けてくれる娘たちに感謝したいと思います。ありがとう。

高田祐希

2019年12月

高田祐希（たかだ・ゆき）
東京・二子玉川にある「きこうカイロ施術院」院長。カイロプラクター・医学気功師。人間の体を常に西洋医学と東洋医学の両面から考えている。NHK『ためしてガッテン』に、考案した裏技「耐震マットを使って楽にハイヒールを履く方法」が取り上げられたことで話題に。自身の脚に対する劣等感から幼少より他人の脚を観察し続けた結果、足・脚の形の違いから動かし方や体形がわかるだけでなく、加齢につれての変化も分類できるようになった。指導法には筋トレ・ストレッチだけでなく、ヨガやヒップホップダンスなども取り入れており、「体は自分で作れる」ことを提唱している。
きこうカイロ施術院ホームページ　https://kikoukairo.com/

**どこに行っても治らなかった
ひざ痛を10日で治す私の方法**

2020年1月10日　初版発行

著者　高田祐希

発行者　佐藤俊彦
発行所　株式会社ワニ・プラス
〒150－8482
東京都渋谷区恵比寿4－4－9　えびす大黒ビル7F
電話　03－5449－2171（編集）
発売元　株式会社ワニブックス
〒150－8482
東京都渋谷区恵比寿4－4－9えびす大黒ビル
電話　03－5449－2711（代表）

ブックデザイン　柏原宗績
イラストレーション　岡本典子
撮影　門馬央則

印刷・製本所　中央精版印刷株式会社

ISBN 978-4-8470-9845-1